D0899469

LES MYSTÈRES DE LA HAVANE

DU MÊME AUTEUR

Le Néant quotidien (Actes Sud, 1995)
La Sous-Développée (Actes Sud, 1996)
La Douleur du dollar (Actes Sud, 1997)
Café Nostalgia (Actes Sud, 1998)
Cher premier amour (Actes Sud, 2000)
Le Pied de mon père (Gallimard, 2000)
Trafiquants de beauté (Actes Sud, 2001)
Les Cubains (photographies de Robert van der Hilst, Vents de sable, 2001)

Zoé Valdés

LES MYSTÈRES DE LA HAVANE

Traduit de l'espagnol (Cuba)
par Julie Amiot et Carmen Val Julián

CALMANN-LÉVY

TITRE ORIGINAL
Los misterios de La Habana

© Calmann-Lévy, 2002

ISBN 2-7021-3218-9

À la mémoire de Jorge Mañach.

À Mario Parejón, Chantal et José Triana.

« Ah, la rue Muralla, observe Luján, vigoureuse, taillée dans le nerf et le muscle, au flanc de San Cristóbal. »

Jorge MAÑACH, *Estampas de San Cristóbal*

« Et puis encore nous croyons à la puissance des contrastes. »

Eugène SUE, *Les Mystères de Paris*

Avant-propos

Ceci est un recueil inspiré d'histoires et de légendes de San Cristóbal de La Havane, à partir desquelles j'ai recréé certains des mystères de ma ville natale qui m'ont depuis toujours fascinée. Aux sources des nouvelles se trouvent des personnages réels et historiques, auxquels se mêlent des êtres et des situations de fiction, nés de l'imaginaire populaire ou de ma propre invention. Les légendes authentiques ont été enrichies par la tradition orale et écrite. La maîtresse coupée en morceaux exista bel et bien dans les années 50, tout comme la Chinoise lascive qui avait un grain, ou la Marquise déchue. Il en va de même pour les poètes, écrivains, musiciens, peintres, mécènes et héros de l'Indépendance dont les noms sont cités dans ce livre. Mais j'ai voulu unir le réel à une bonne dose d'imagination personnelle et de mystères intimes choisis à mon goût dans une vaste palette. Le dialogue et l'échange avec les voix de la cité sur le mode onirique ont constitué un passionnant apprentissage.

Les mystères d'une ville sont une grande partie de sa mémoire, ils permettent d'en analyser l'histoire et la culture d'un point de vue poétique. L'essence du citadin est ancrée dans la tradition légendaire d'un lieu, et Jorge Mañach, l'un des historiens les plus importants de La Havane, écrit à ce propos :

« Aussi la tradition n'est-elle, pour moi comme pour tous, qu'une nostalgie, une attitude esthétique envers le passé... »

Je souhaite remercier tous les auteurs qui ont écrit sur la ville de La Havane et ses personnages avant que ce livre n'existe. J'en ai lu certains, d'autres pas encore, mais ce n'est que partie remise. Il est d'ailleurs des textes qui sont un mystère supplémentaire de la ville, ainsi le livre de Pedroso *Misterios de La Habana*, de 1916, et un autre de Tristán de Jesús Medina intitulé également *Misterios de La Habana*[1]. L'existence de celui-ci m'a été communiquée par Jorge Ferrer, depuis Barcelone, mais j'ignore où il se trouve. Tant de choses ont été écrites sur cette ville que l'on pourrait passer une vie entière à lire des textes sur elle sans ennui.

Ma reconnaissance va à ceux qui aiment La Havane, et la comprennent sans l'humilier. La ville a survécu au chaos actuel grâce à leur présence. Je veux parler en particulier des Havanais d'origine, mais aussi d'adoption, car tous ont construit ensemble la véritable histoire de la cité, nourrissant ses mystères par leurs existences.

Il y a plusieurs années, j'ai travaillé sous la direction de l'historien officiel de La Havane, Eusebio

1. *Anécdotas cubanas, Libro I. Purísma,* La Havane, La Cubana, 1854.

Leal, à la transcription du journal tenu par Carlos Manuel de Céspedes, Père de la Patrie, pendant ses dernières années de détention par l'armée espagnole à San Lorenzo. Je devais à l'époque accomplir le service social imposé par le ministère de l'Éducation. J'eus un énorme plaisir à me plonger dans ces écrits. Je suis reconnaissante à Eusebio Leal de m'avoir fait totalement confiance pour exécuter ce travail alors qu'on ignorait encore si sa publication serait autorisée par Fidel Castro. Après nombre de rebondissements, les cahiers furent publiés, d'abord en Colombie, puis en Espagne. J'ai eu une bien triste surprise lorsque j'ai vu mon nom, en petits caractères, enfoui dans une longue liste de collaborateurs – que ni moi ni Zayas, ce vieil homme, fils de l'ancien président, qui mettait au propre les résultats de mon travail, n'avions jamais vus – mentionnés dans la liste des remerciements à titre purement décoratif. Cette omission volontaire est une véritable négation de mon travail.

J'avais pourtant mis beaucoup de tendresse et d'efforts dans ce journal, que je m'usai les yeux à déchiffrer mot à mot. En effet, l'écriture était à peine lisible et la paléographie du texte me prit du temps, car les geôliers de Carlos Manuel de Céspedes lui interdirent l'usage de l'encre et du papier. Il avait donc dû se fabriquer une encre faite de citron et d'écorce d'arbres, et les traits de sa calligraphie devenaient parfois transparents ou se superposaient sur les deux petits carnets, car quand les feuilles de ceux-ci furent remplies, il décida de continuer de consigner ses activités quotidiennes et ses pensées politiques par-dessus ce qu'il avait déjà écrit. Le personnage m'avait immédiatement séduite, et je travaillais parfois au musée des Capitaines généraux jusqu'à deux ou trois heures du matin. Ma seule compagnie était le gardien de l'entrée, l'historien lui ayant ordonné de me laisser accéder à son bureau, d'où il était interdit de sortir les documents.

Ma relation avec le Patriote se fit plus étroite encore à travers l'étude de sa personnalité. Plus d'un siècle nous séparait, mais nous étions unis par le mystère historique qui nous avait fait vivre, à des moments différents, des conflits pourtant similaires. Plus d'une fois, tout imprégnée de la transcription de ses écrits, j'ai entendu des sons d'une autre époque, bruissements d'étoffes sur les sols marbrés des salons, calèches roulant sur les pavés, rires perlés de femmes derrière des éventails, portraits recouverts de foulards qui s'évanouissaient le matin venu. J'ai été deux ans amoureuse de Carlos Manuel de Céspedes, éprise d'un fantôme. Des années plus tard, à Paris, j'ai rencontré sa petite-fille, l'écrivain Alba de Céspedes. Elle vivait dans l'île Saint-Louis. Mes contes illuminés l'enchantaient, tout comme moi ses souvenirs d'enfance et l'éclat inquiet et familier de ses pupilles. Les anecdotes sur le Père de la Patrie nous ont réunies.

Alba était fascinée par l'histoire du moment où j'ai découvert un foulard de soie accroché au portrait de son grand-père. Et, un après-midi où je lui rendais visite dans l'île Saint-Louis, elle en portait un très semblable autour du cou. Cette aventure étrange survenue dans les couloirs du musée des Capitaines généraux m'a inspiré les vers ardents d'un poème plutôt descriptif dont l'ingénuité me fait rougir aujourd'hui.

Habanaguana

On ignore toujours si La Havane doit son nom à certaines noisettes dures à casser ou au cacique aborigène Habanaguanex. La colonisation espagnole, menée entre 1508 et 1520 – je renvoie à Manuel Moreno Fraginals, l'éminent historien cubain –, s'est appuyée sur le système de la fondation de villes. En 1510, Diego Velázquez a baptisé la ville du nom de San Cristóbal de La Havane, porte du Nouveau Monde. Elle était située sur la côte sud de l'île, d'où elle fut déplacée vers le port de Carenas, sur son site actuel, et refondée aux alentours de 1520. L'histoire des noisettes, *avellanas* en espagnol, n'est pas sans rappeler l'orthographe que les conquérants ont utilisée au début en la nommant Avana.

Selon Ana María Alvarado, dans son livre *Anécdotas cubanas*[1], les bateaux européens arrivaient chargés de sacs de noix et de noisettes. Pendant leurs

1. Miami, Universal, 1996.

heures de repos, les marins s'occupaient à casser les coques résistantes avec les mains et les dents. Quand ils ne parvenaient pas à les ouvrir, ils les jetaient pardessus bord en s'exclamant : *Ah, vaines !*

Ces deux origines sont trop belles pour être dédaignées. Quoi qu'il en soit, j'y ai ajouté une troisième version, celle d'une ravissante Indienne appelée Habanaguana, aux yeux aussi noirs et brillants que ses cheveux. Elle avait la peau très douce, mais quand un animal étrange l'effrayait, ce qui arrivait très rarement, car elle n'avait peur de presque rien, sa peau changeait de couleur et devenait verdâtre et rigide, rugueuse comme celle des iguanes.

Habanaguana était amène, et ne se méfiait d'aucun de ses semblables. Elle se promenait toujours en compagnie d'un chien silencieux. En réalité, les chiens d'avant la conquête étaient tous muets. Ils ont appris à aboyer pour se défendre et défendre leurs maîtres, les Indiens, face aux Espagnols.

D'un naturel joyeux, Habanaguana souriait aux arbres et parlait aux oiseaux. Elle avait eu une enfance tranquille, au sein d'une nombreuse famille. Mais, devenue jeune fille, la svelte Indienne aimait à s'éloigner du village, pour faire des promenades qui duraient du matin jusqu'à la nuit tombée. Elle rapportait des cadeaux à ses petites sœurs, des coquillages colorés, des poissons frétillants, des diadèmes de fleurs odorantes pour leurs fronts. Aux garçons, elle offrait des branches de bois précieux qui leur servaient de bâtons pour s'appuyer sur la terre humide, ou des huiles pour apaiser la fatigue de leurs muscles.

Un après-midi, comme elle se rendait à la rivière, Habanaguana croisa un étranger sur son chemin. On distinguait à peine son corps, tout engoncé qu'il était dans une cuirasse métallique. Une chevelure blonde s'échappait de son casque, et ses yeux étaient couleur d'émeraude. Il tenait dans sa main une pointe acérée (une lance, à vrai dire). Quand il la vit, il sembla avoir découvert une déesse, il s'agenouilla même devant elle.

Elle avait un peu pris peur, ce qui changea la couleur et le grain de sa peau. L'homme s'alarma. Il voulut appeler ses compagnons, mais aucun son ne sortait de sa bouche. Le chien l'observait, encore confiant. La verdeur des yeux de l'homme inquiétait Habanaguana. Nerveux, il s'avança vers elle, et, fasciné par sa nudité, il tendit la main et toucha la pointe de son sein gauche. Elle rit sans malice, sans honte non plus. Il s'approcha, en scrutant son regard. C'était un regard heureux, sans détour, dépourvu de méchanceté. Sa peau redevint douce, couleur cannelle ou tabac.

Il lui prit la main et observa ses ongles abîmés. Ses doigts étaient pourtant longs et fins. Il la caressa de sa main calleuse, et elle tressaillit en sentant cette chair rude qui palpait la sienne. Il s'approcha encore de quelques millimètres, et il put respirer le souffle pur d'Habanaguana. Il regarda ses lèvres et, sans hésiter, posa sa bouche sur elles, doucement.

Habanaguana n'avait aucune raison d'éprouver de la pudeur devant cet homme. Ni devant son baiser. Elle ne repoussa pas la caresse, même si ses lèvres restèrent immobiles. Il s'écarta et lui demanda son nom. Elle ne comprit rien, bien entendu. Mais elle pensa qu'il voulait peut-être jouer. Et elle se mit à courir. Il la suivit, il était jeune lui aussi, mais elle était bien plus rapide, et son harnachement s'accrochait sans cesse dans les branchages, l'arrêtant dans sa course. Elle riait, riait, d'un rire irrépressible qui semblait moqueur. L'homme commençait à désespérer, la sueur qui trempait son visage dégoulinait sur ses sourcils broussailleux, et ses yeux embués ne parvenaient plus à apercevoir que des formes vagues. Quand il était sur le point d'attraper sa proie, elle disparaissait pour surgir à nouveau derrière quelque énorme tronc.

Il perdait patience et, troublée, elle ne parvenait pas à interpréter ce qui se passait en elle, une stimulation profonde. Le jeu l'excitait et le côté gauche de sa poitrine battait à une vitesse inaccoutumée. Elle décida alors de s'arrêter pour attendre qu'il la trouve et s'accroupit dans une cachette, entre les gigantesques racines d'un arbre. Il s'exaspérait, elle tombait amoureuse.

Il la perdit de vue et, hors de lui, il lâcha une bordée de jurons. L'écho lui renvoyait ses injures. Il s'aperçut bientôt qu'il s'était égaré au beau milieu de la forêt. Maladroit, désorienté, il avança dans une direction, puis une autre. Il crut enfin apercevoir la chevelure de jais et se précipita vers le creux entre les racines : le corps frêle et pelotonné y palpitait.

Elle leva les yeux, il pointait sa lance sur elle. Sa peau devint verte et rêche. Elle sourit et ses lèvres eurent tout d'un fruit délicat et frais. La lance transperça le corps d'Habanaguana. Elle mourut amoureuse. Il s'enfuit, furieux de n'avoir pu assouvir son désir. Quelques heures plus tard, il avait rejoint les siens. Il leur raconta ce qui lui était arrivé, et les autres se moquèrent, personne ne pouvant croire qu'il avait poursuivi une déesse nue.

Les jours s'écoulèrent et la tribu avait commencé à rechercher Habanaguana. C'est ainsi qu'elle rencontra la troupe d'Espagnols à bout de forces. Ceux-ci demandèrent comment s'appelait ce lieu. Et les Indiens, qui ne les avaient pas compris, répondirent qu'ils cherchaient la jeune Habanaguana. À cause de ce malentendu, la ville fut baptisée Havane, les hommes blancs croyant qu'*Habana* était le nom du lieu.

Plus tard, un autre couple, formé par Hatuey et Guarina, allait entrer dans l'histoire. Le premier fut brûlé par la barbarie espagnole. Avant de le faire périr dans les flammes, on lui demanda s'il souhaitait aller au ciel. Le cacique voulut aussitôt savoir s'il y rencontrerait les Espagnols, et devant la réponse affirmative, il refusa tout net, car, en ce cas, il ne voulait évidemment pour rien au monde aller au paradis. On le réduisit en cendres. La disparition de son amant fit périr d'angoisse Guarina. Des siècles plus tard, l'ironie du sort de ce pays qui se moque de sa propre histoire a voulu que la bière cubaine la plus rafraîchissante s'appelle Hatuey, et la glace la plus crémeuse, Guarina.

María Cepero

Le bas-relief funéraire sculpté forme un chapiteau sur lequel repose la tête d'un ange. Une croix se dresse dans la niche centrale flanquée de deux colonnes. La stèle jaunie se trouve à côté de la maison du Café au lait, rue Obispo, face à l'un des murs du musée des Capitaines généraux. On y lit :

Hic finem fecit : Tormento bellico yn [sic] *opinate percuss D. María Cepero. Año I S. S. 7. PR. NR. AM.*

C'était en l'an 1557. Avant de s'écrouler là, blessée, elle avait prié, à genoux dans la cathédrale, puis, quelques minutes plus tard, appuyée sur le mur qu'elle éclaboussa de son sang, María de Cepero y Nieto, jeune fille de la noblesse havanaise, expira. Un coup d'arquebuse en plein cœur l'avait laissée exsangue. Certains racontent que nul n'avait voulu la tuer, qu'il s'agissait d'une balle perdue, sans visée. Mais ce n'est pas vrai, la balle avait pour cible le sein gauche de María Cepero. Dont j'aime le nom sans savoir grand-chose d'elle.

D'autres pensent que sa mort ne doit rien au

hasard, car c'était une femme à la peau d'albâtre et aux cheveux très noirs, au regard de feu. Son fiancé l'adorait et la gardait plus jalousement encore. C'est lui qui l'avait tuée, car il la soupçonnait de lui être infidèle avec son frère.

Une nuit, alors que je travaillais au musée à la transcription des derniers passages du Journal de Carlos Manuel de Céspedes, Père de la Patrie, j'entendis un bruit étrange dans la rue. Un froufrou de jupes, le cliquetis précipité de talons. Je courus jusqu'au petit balcon du bureau d'Emilio Roig de Leuschering, et je la vis. C'était elle, María Cepero, une étole nacrée couvrant la nudité de ses épaules. Et, une fois encore, je ne sais combien de siècles plus tard, l'arquebuse a tiré et une balle a ouvert une fleur rouge sur son téton gauche.

Levant les yeux, María Cepero m'a foudroyée du regard. Je me ruai comme une folle dans la rue Obispo à la poursuite du coupable. Il n'y avait pas âme qui vive, hormis le vieux gardien en uniforme de milicien qui regrettait la tiédeur de son lit. Et moi, qui ne comprenais pas.

La Ma Teodora

Un soleil impitoyable brûlait le parvis de l'église. Teodora et sa sœur Micaela Ginés, Noires affranchies dominicaines, avaient rendez-vous avec Pascual pour jouer de la guitare et de la mandoline, en ce dimanche midi. Sévillan d'origine, Pascual de Ochoa jouait du violon comme un dieu, et il avait réussi à former un ensemble de musiciens avec le Portugais Jacomo Viseira, qui s'adonnait à l'art de la clarinette, et avec le violoniste de Malaga, Pedro Almanza, tout aussi doué. Nous sommes en 1562.

Teodora était une femme rêveuse. Nimbée d'un voile de fantaisie, elle tuait l'ennui des jours. Sa sœur la ramenait sans cesse sur terre. Teodora se voyait enlevée par un Arabe magnifique qui la conduisait, serrée dans ses bras, jusqu'à un cône de lumière. Il la déposait là, tendrement, entre les bosses d'un chameau, et ils partaient vers le désert.

– Et tu t'imagines qu'un Arabe va arriver ici, avec un chameau par-dessus le marché, et qu'il va t'emmener dans ton maudit désert ? Cesse de dire des âneries... Je te parie ma mandoline que tu n'as pas idée de ce que c'est, le désert. Rien que du sable, à ce qu'on m'a dit. Sainte Vierge, comme les garçons se font attendre !

Personne ne s'était approché des jeunes filles, qui commençaient à s'impatienter. Elles étaient sur le point de partir quand Pascual fit son apparition, suivi de Jacomo et Pedro, ivres morts.

– Bonjour, mesdemoiselles, excusez notre retard, mais ces deux-là se sont sifflé une barrique de vin. Regardez-les, ils ne tiennent même pas debout. Quelle honte !

– Nous n'allons pas pouvoir jouer..., soupira Teodora.

– Nous jouerons, croyez-m'en, foi de Pascual de Ochoa !

Aussitôt dit, aussitôt fait, il fit plonger vivement ses compagnons dans la rivière qui longe l'église, et à grand renfort de coups de poing, il leur remit en mémoire tous leurs ancêtres, voire ceux d'autres lignées. Ils ressortirent trempés, mais dégrisés. Pascual leur mit les instruments entre les mains.

– Mais il n'y a personne, ici. Pour qui diable allons-nous jouer ? dit Micaela.

– Pour ceux qui voudront bien venir...

Le groupe se mit en place sur le parvis et, à un signe de Pascual, les instruments résonnèrent d'un écho magique envahissant le vide. Leur *son*[1] qui mêlait l'Afrique, le Portugal, Valence au mystère sévillan, attira peu à peu la foule. Après deux chan-

1. Genre musical cubain d'origine métisse, aux multiples variantes. Le *Son de la Ma Teodora,* qui date du XVIe siècle, est considéré comme le premier *son. (N.d.T.)*

sons et demie, les villageois dansaient déjà autour d'eux, les marchands ouvraient leurs boutiques ; le curé lui-même se mit à danser. Et sans crier gare, une fête bouillonnante éclata. Les musiciens avaient peine à croire ce qui se passait, un vrai miracle. Ils se regardaient, heureux, n'en jouant qu'avec plus de cœur. Jacomo poussa du coude Teodora :

– Là-bas, dans le groupe à côté de la poissonnière, il y a un type qui te dévore des yeux. Tu le connais ?

Elle chercha et vit un homme aux cheveux longs très noirs, la peau olivâtre, les yeux profonds, les lèvres rouges et humides. Il portait un mouchoir roulé en turban sur le front et une machette à la ceinture. Sur ses vêtements bruns, il portait une cape verte. *Mon prince d'Arabie !* s'écria-t-elle intérieurement. Quand il vit les yeux d'émeraude se poser tout miel sur lui, l'homme lui décocha un clin d'œil coquin. Elle détourna le regard et fixa son attention sur son instrument.

On eût dit que la fête n'allait jamais finir, le public en redemandait, encore et encore... Ils étaient fatigués et proposèrent de revenir le dimanche suivant. Ainsi firent-ils, dimanche après dimanche. Et l'inconnu était toujours là, s'efforçant de séduire à distance Teodora, laquelle, au troisième dimanche, était tombée dans ses filets, languissante, car l'homme ne disait mot.

– Moi, à ta place, j'irais le voir pour lui demander ce qu'il fiche planté là, comme un épouvantail, lui conseilla Micaela.

Elle pensa que sa sœur avait raison, et profita d'une pause pour aller vers l'homme.

– Pour qui vous prenez-vous, à me fixer comme ça ?

– Comment ?

Il avait eu un éclat de rire d'une virilité irrésistible, comme dirait ma grand-mère.

Teodora haussa les épaules.

– Mon nom est Felipe, et je veux t'emmener avec moi sur-le-champ.

– Vous plaisantez ? Vous n'avez rien trouvé de mieux ? Pour que je vienne, il faudrait que vous m'emmeniez vers une dune de sable, dans le désert.

– Non, oublie le désert. Mais je pourrais t'installer confortablement, te donner des parures, des chaussures neuves, des bijoux, des domestiques. Il faudrait que nous traversions la mer, et que tu abandonnes la musique. Même si tu en joues fort bien, ma belle.

L'homme l'attira vers lui par la taille. De près, il semblait moins séduisant, mais, de toute façon, elle était déjà amoureuse. Elle réfléchit quelques secondes, l'idée de traverser l'océan ne lui disait rien du tout, jamais de la vie elle ne laisserait sa guitare, et moins encore sa sœur. Assurément, cet homme n'était pas fait pour elle.

– Non, monsieur, je ne peux pas vous suivre.

Il la serra contre ses cuisses, et elle sentit l'érection subite de son sexe cinglant son clitoris, elle faillit s'évanouir de plaisir, tant tout cela lui semblait romantique. Elle reprit cependant ses esprits en un clin d'œil.

– Laissez-moi ! supplia-t-elle, car déjà les musiciens, revenus sur l'estrade, l'attendaient.

Avant de la lâcher, Felipe lui dit d'un ton menaçant :

– C'est ce que l'on verra. Tu viendras avec moi, négresse insolente, même si je dois te ligoter. Je saurai te faire marcher à la baguette !

Et il disparut, n'ayant plus que cette idée en tête.

Ce dimanche matin ne fut guère différent des autres, la chaleur était étouffante, et le ciel si bleu qu'il blessait les pupilles si on levait la tête pour l'admirer. Comme de coutume, Teodora et Micaela s'apprêtèrent pour le bal, simplement. Elles déjeunèrent de riz accompagné de haricots, de manioc en sauce et de rondelles de porc à l'orange amère. Avant de sortir, elles se rincèrent la bouche à l'aide d'un broc, et elles crachèrent les feuilles de menthe mâchées pour se rafraîchir les gencives et les dents, qu'elles avaient magnifiques.

Elles étaient sur le chemin du village, justement en train de parler de Felipe et des manières frustes dont il usait pour courtiser Teodora en l'intimidant, quand il parut en personne, sur un cheval cuivré. Quatre hommes vigoureux l'escortaient, un sourire moqueur aux lèvres. Les cavaliers se permirent de lancer des mots crus et d'insulter les deux femmes, qui essayaient en vain de passer leur chemin, car ils les en empêchaient toujours.

Las d'attendre que Teodora monte sur son cheval pour s'enfuir avec lui, Felipe mit pied à terre et, attrapant la femme de force, la jeta à plat ventre sur sa monture. Son corsage s'était déchiré et la sueur baveuse de la crinière lui colla à la peau. Felipe monta d'un bond, éperonna son cheval, et ils se perdirent dans une course effrénée à travers la montagne. Teodora hurlait et trépignait de colère. Dans son imagination, les enlèvements devaient se faire par consentement mutuel.

Micaela courut jusqu'à l'église pour implorer à

grands cris de l'aide pour sauver sa sœur. Pascual, hors de lui, parvint à réunir cinquante-sept hommes, dont Jacomo et Pedro. L'inconnu ne l'était guère, plusieurs personnes donnèrent sur son compte des pistes certaines : il était régisseur d'une plantation espagnole à quelques kilomètres de là. Les hommes saisirent les rênes et ils s'enfoncèrent au grand galop dans la forêt. Micaela les accompagnait, gardant en apparence son calme, elle qui était verte de rage. L'idée de chanter le premier *son* de l'histoire de la musique cubaine est venue d'elle :

– *Que fait la Ma Teodora ?*

Les esprits lui répondaient en chœur :

– *Elle coupe du bois.*

Dans la plantation, lorsqu'ils parvinrent à la maison du régisseur, ils trouvèrent Ma Teodora bâillonnée, attachée sur une table de banquet. Felipe était parti à la chasse, bien certain que personne n'oserait venir la chercher. Ils la délivrèrent et prirent la fuite en portant Teodora, qui pouvait à peine marcher, car son ravisseur l'avait fait fouetter devant lui. Fort heureusement, il n'y eut pas de représailles sanglantes cette nuit-là. Felipe ne put pas leur disputer à nouveau sa belle prisonnière. Victime d'un infarctus, il mourut solitaire contre le tronc d'une *jatia.* Trop de bile encombrait ses viscères.

Après cette terrible histoire, Ma Teodora, Micaela, Pascual, Jacomo et Pancho eurent une nouvelle chanson à leur répertoire dominical :

– *Que fait la Ma Teodora ?*

Et les villageois reprenaient en chœur avec les esprits :

– *Elle coupe du bois.*

Domingo del Monte :
la confusion de l'amitié

Au numéro 62 de la rue Habana, Domingo del Monte créa l'un des cercles les plus illustres de toute l'Amérique latine, où l'on discutait littérature, arts et politique, tandis qu'arrivaient, à une rapidité que pourraient envier les bureaux de poste d'aujourd'hui, des publications de Madrid, Paris, New York, entre autres lieux du monde. J'ai passé ma jeunesse à deux pas du numéro 62 de la rue Habana, j'ai eu ce privilège, et je sens que l'empreinte laissée par ces personnages dans ma ville natale a imprégné mon enfance. Par ses anecdotes, ma grand-mère a contribué à ce que ces ancêtres, à un siècle et demi de distance, façonnent ma sensibilité. J'ai vécu dans le *solar*[1] du 160, rue Muralla, entre les rues Cuba et San Ignacio. Une camarade d'école habitait les ruines de la mai-

1. Édifices de l'époque coloniale, aujourd'hui laissés à l'abandon et délabrés, dont les pièces sont habitées par des familles qui partagent le patio et les sanitaires. *(N.d.T.)*

son où del Monte avait tenu ses réunions, commencées en 1836. Pour nous, faire nos devoirs sous de tels auspices était un acte lumineux, même si à cet âge, ce que nous connaissions de Domingo del Monte ne dépassait guère l'imagerie fantasmagorique des films où il apparaissait.

Si je devais imaginer Domingo del Monte pour le définir en quelques mots, je dirais que c'est un poète, un être lyrique, passionné par sa vie d'intellectuel engagé politiquement. Critique littéraire fin et juste, il a aussi écrit dans la revue *La Moda* des articles qui permettaient à ses fidèles lecteurs d'être les témoins de ses premiers déboires amoureux causés par Clotilde, ou Rosa Aymerich, la belle Péruvienne. Alors que sa première tentation démesurée s'appelait Belén, ou Belinda, il épousa finalement Rosa Aldama, qui lui donna trois enfants. Elle mourut à Paris, des suites des couches du troisième, qui ne lui survécut d'ailleurs pas bien longtemps. On sait peu de chose de ses amours antérieures, hormis ce qu'il en a écrit lui-même dans des lettres à des amis, ou précisément dans ces articles où il donnait son avis sur l'élégance de gants et de chaussures, ou sur le raffinement de certains tissus, comme la hollande. Mais del Monte est allé bien plus loin. Dans son cercle, il fit office de maître à penser et de mécène pour de jeunes talents. Il ouvrait des portes à nombre de leurs projets et se réjouissait quand sa situation financière lui permettait de les soutenir. Il consacra d'ailleurs plus d'énergie à ce travail d'encouragement des œuvres d'autrui qu'à sa propre création littéraire, pour laquelle il n'éprouvait qu'indifférence. Énergiquement opposé à la traite des Noirs et aux horreurs de l'esclavage, il plaidait pour l'indépendance de Cuba à tous points de vue, mais dans le respect des valeurs essentielles de l'île, son histoire, sa culture, ses coutumes, avec une vision profonde de l'américanité.

Sa voix était très basse et persuasive. La biographie d'Urbano Martínez[1] le décrit, au détour d'une lettre, comme plutôt timide, ou peu loquace, peut-être. On s'accorde à reconnaître son immense sensibilité, ses opinions profondes fondées sur des connaissances acquises au prix de l'effort et de l'amour de la recherche. Modeste envers lui-même et généreux envers les autres, il saluait leurs qualités sans barguigner. L'amphitryon était aussi une bonne fée. Son caractère affable, sa présence bienveillante, lui ont valu des amitiés très fidèles. L'un de ses meilleurs amis fut José María Heredia[2], le chantre du Niagara, qui avait été contraint à un long exil. La souffrance d'Heredia, loin de son pays, fut intense. Son ami del Monte regretta son départ et la séparation assombrit son caractère serein et optimiste. La douleur de ne plus pouvoir s'entretenir avec l'exilé lui serra longtemps le cœur.

Mme Heredia, la mère du poète, annonça à del Monte le retour de son fils après treize ans d'absence. Il avait dû écrire une lettre assez humiliante au gouverneur d'alors, Tacón, homme méprisable, pour obtenir l'autorisation de rentrer dans l'île, car l'amnistie de 1833 ne le concernait pas, lui qui avait été condamné pour faits de conspiration

1. *Domingo del Monte su tiempo,* La Havane, Unión, 1997.

2. José María Heredia (1803-1839), poète romantique cubain, qui fut exilé pour conspiration, homonyme de l'auteur des *Trophées. (N.d.T.)*

indépendantiste. Domingo del Monte fut le seul à oser accueillir José María Heredia. Bien des gens qui avaient vu d'un mauvais œil le poète courber l'échine devant le tyran, comme ils disaient, lui tournèrent le dos.

À la tombée du soir, Domingo del Monte descendit par une rue étroite jusqu'à la baie. Il était vêtu avec élégance, son teint mat resplendissait sous l'éclat de la joie, ses yeux noirs étincelaient de l'impatience d'étreindre son ami. Il fut mécontent de constater qu'une Havane très sale allait recevoir Heredia, chichement éclairée, parsemée de flaques de fange empêchant le passage des véhicules dans ses rues de terre battue. C'était une ville nauséabonde, infestée de mendiants, de voleurs de chevaux, de malades atteints de fièvre jaune, des monticules d'ordures se dressaient de toutes parts. Le quai puait le poisson pourri. Il l'attendit là, oubliant la misère alentour, brûlant de voir se profiler la silhouette de José María, le 4 novembre 1836.

Tous les passagers sortirent sauf lui, et del Monte commença à perdre patience. Il avait dû se passer quelque chose d'imprévu. Heredia apparut le dernier. Les yeux exorbités par l'émotion, il pouvait à peine distinguer le moindre objet à sa portée. Domingo vint le serrer dans ses bras. Dans leur embrassade, chacun comprit par la seule pensée les angoisses de l'autre.

– Les formalités à la douane ont été très compliquées, expliqua Heredia sans le quitter des yeux.

– J'imagine les épreuves que tu as dû traverser, ne t'inquiète pas.

– Ils n'en ont pas encore fini avec moi, je dois retourner dans les bureaux. Je suis juste sorti pour que tu saches que j'étais arrivé, ils m'ont autorisé à te prévenir. Et pouvoir t'embrasser, mon vieux, te toucher me semble incroyable...

La nervosité le faisait balbutier.

– Sache que je suis ton ami, que je l'ai toujours été et que je le serai toujours. Quoi qu'il advienne...

Domingo se caressa la barbe, retenant ainsi son désir d'étreindre à nouveau le poète qu'il admirait tant.

– On croirait des adieux plus que des retrouvailles, observa le voyageur.

– C'est que je n'ai pas beaucoup de temps. Je dois malheureusement m'occuper d'affaires importantes qui ne peuvent attendre. Sinon, je resterais davantage, mais je ne sais quels sont tes projets, je crains de te déranger.

– Que dis-tu là ? Tu ne me déranges pas le moins du monde ! Bien au contraire, tu sais combien je t'estime, et ta présence ici est le plus beau cadeau que tu pouvais me faire. Je reste à La Havane seulement cette nuit. Demain, très tôt, je pars pour Matanzas.

– Nous nous verrons tout à l'heure sans faute. Moi aussi, je t'aime plus que tu ne peux l'imaginer.

– Je ne voudrais pas rester sur ma faim. Alors, c'est bien sûr, à ce soir ?

Domingo del Monte acquiesça et ils se donnèrent à nouveau l'accolade. Il eut du mal à tourner les talons, en abandonnant Heredia aux tracas de la douane.

Cette nuit-là, Heredia erra dans les rues de La Havane sans parvenir à dénicher del Monte. Au cours de leur bref dialogue, l'affection et la confusion avaient dominé, au point qu'aucun des deux n'avait fixé de lieu de rendez-vous concret. Il ne savait pas non plus où le trouver, car del Monte avait déserté sa demeure devenue désormais suspecte. Il fut d'ailleurs bientôt obligé de gagner le Mexique et, deux mois plus tard, José María Heredia dut repartir en exil, sans avoir pu retrouver son cher del Monte, auquel il écrivit plusieurs lettres pour lui reprocher son silence.

Matías Pérez et la belle au cerf-volant

Matías Pérez, un jeune gringalet aux cheveux châtains ondulés, aux yeux rêveurs en amande et à la moustache pommadée, avait hérité de son père la boutique de stores de la rue Obispo. Matías Pérez était né avec le don de l'imagination. Il vivait un pied sur terre et l'autre sur la lune. Il n'ignorait pas que la boutique de stores était de la plus grande importance. En effet, il n'y avait pas une maison qui n'eût besoin d'un store pour protéger son seuil d'un soleil de plomb et d'une chaleur étouffante, ou de pluies torrentielles.

Les stores de la famille Pérez jouissaient à l'époque d'une immense popularité. Leurs motifs bigarrés et leur solidité, qui mettait les boutiques à l'abri du soleil comme de la pluie, expliquaient l'engouement des commerçants. Ils passaient sans cesse commande de l'ingénieuse protection de toile qui se pliait et se dépliait à l'aide de manivelles métalliques tournant grâce à une tige de bois. Matías Pérez gagnait bien sa vie, sans compter qu'il était devenu le créateur d'un mystère dont les Havanais lui savent gré du fond du cœur : l'ombre.

Mais d'autres idées trottaient dans la tête de Matías Pérez. Comme celle d'un ballon aérostatique mû par propulsion thermique. Dans la moiteur des nuits havanaises, il ne cessait de coudre, rapiécer, imaginer ce que cela serait de fendre les airs à bord de son ballon dirigeable. Le ballon fut prêt et notre homme s'élança du parc de la Fraternité le 29 juin 1856. Alors que tous les mois sont chauds à Cuba, ce jour précis, une petite brise traîtresse s'était levée.

La foule avait accompagné son fabricant de stores avec un enthousiasme démesuré. Matías Pérez croyait en sa bonne étoile. Le ballon décolla et l'homme ne tarda pas à saluer le monde depuis les hauteurs. À cette époque, la ville était plate, les maisons ne cherchaient pas à défier le ciel. Matías Pérez ne rencontra aucun obstacle hormis de gros nuages avançant à une vitesse inaccoutumée. Il en fut si ému qu'il dut s'arrêter dans sa course, et bien réfléchir à la marche à suivre. Il était si euphorique qu'il avait grand-peine à garder son calme. Il entonna une chanson et, de joie, hurla des grossièretés qu'il avait toujours rêvé de proférer en public.

La brise devint peu à peu une bourrasque qui effraya Matías Pérez. La propulsion thermique commença à perdre de sa stabilité. C'est alors qu'il tenta de changer de direction en actionnant l'une de ses célèbres manivelles. Au lieu de s'aventurer vers la mer, il mettrait le cap sur l'est de l'île. Et il s'éloigna ainsi de ce qui était alors le cœur de la ville.

Sur ces entrefaites, le hasard voulut que dans les

faubourgs, très près du bois du Vedado, une adolescente s'échappât de chez elle quelques heures. Dulce Renée devait avoir quinze printemps, et l'exaltation de son esprit trahissait l'intensité avec laquelle elle vivait les métamorphoses de la puberté. Elle portait un cerf-volant gigantesque, fabriqué par son père, qu'elle avait décoré de motifs fleuris et de poèmes griffonnés à chaque extrémité. Sa corde était fine mais solide, le papier des ailes avait été protégé par une couche de cire, pour empêcher qu'il ne s'enflamme en cas de chaleur excessive. Dulce Renée dénoua la corde, étudia le sens de la brise et lança le cerf-volant. Elle donna du mou, déroula des mètres de corde, jusqu'à ce qu'il ne soit plus qu'un point dans l'immensité bleue du ciel.

Elle était si occupée à maintenir le cerf-volant le plus haut possible qu'elle se rendit à peine compte que le vent était devenu trop fort. Et elle ne s'aperçut pas tout de suite que le ballon de Matías Pérez voilait la lumière. Dulce Renée crut d'abord que c'était un nuage, mais elle se détrompa en voyant l'ombre portée d'une énorme rondeur qui cachait le soleil. L'homme s'écria :

– Eh, petite, pousse ton cerf-volant, il risque de s'accrocher à mon ballon !

Elle rit sans soupçonner le danger. Mais à ce moment, le vent redoubla, et quand le ballon frôla le cerf-volant, elle donna encore du mou, et une de ses baleines resta suspendue à la nacelle. Sous le choc, ses pieds se soulevèrent du sol. Elle sentit sa poitrine palpiter d'émotion, sans songer un instant qu'elle pouvait avoir un accident. Matías Pérez avait lui aussi ressenti l'impact, et, à genoux, il essaya de détacher le cerf-volant sans y parvenir. Il ne pouvait consacrer beaucoup de temps à une telle manœuvre, car il devait s'occuper de la propulsion et des manivelles. Au bout d'un moment, il découvrit horrifié que la jeune fille tenait toujours, accrochée à l'autre bout de la ficelle, virevoltant comme un papillon pris dans un filet.

– Saute, lâche ! lui ordonna le marchand de stores.

– C'est trop haut ! répondit-elle, redevenue très sérieuse.

En effet, le ballon s'était encore élevé dans les airs, et elle risquait de se tuer si elle sautait à ce moment. Matías Pérez se demanda s'il valait mieux couper la corde d'un coup sec ou la hisser à bord de son ballon. Il hésita, car le fil pouvait se rompre à une altitude plus élevée, ce qui serait fatal pour la jeune fille. Le ballon continuait cependant de s'élever à une vitesse alarmante. Il put voir le visage enfantin crispé de peur.

C'est alors qu'un événement inespéré eut lieu : le vent se calma, la flamme du propulseur se stabilisa, mais la fillette restait accrochée à une distance considérable de la terre ferme. Matías Pérez se creusait la tête, à la recherche d'une solution pour redescendre, mais le ballon ne bougeait pas d'un millimètre.

– S'il vous plaît, je n'en peux plus, je vais lâcher prise, faites quelque chose, je vous en supplie ! cria-t-elle.

Matías Pérez lui lança une corde à nœuds pour faciliter son ascension. Elle parvint à en saisir le bout, et elle se retrouva auprès de lui en quelques minutes. L'effroi les fit rire aux larmes. Leurs éclats de rire tonnaient dans le vide, et des larmes sillonnaient leurs joues. Ensuite, ils restèrent silencieux. Puis, une fois les présentations faites, ils se demandèrent ce qu'ils feraient des heures à venir. Poursuivre le voyage ou tenter de descendre ?

– On continue notre route, déclara-t-elle, en le regardant droit dans les yeux.

– Je crois que tu ferais mieux de descendre – ils se tutoyaient déjà –, tes parents doivent être inquiets.

Dulce Renée haussa les épaules. Au point où ils en étaient, je veux parler à la fois de la hauteur réelle entre la terre et le lieu où ils se trouvaient, et du temps écoulé, ils se sentirent extrêmement attirés l'un par l'autre. Malgré sa maigreur, le marchand de stores était jeune et beau. Et elle pressentit qu'il serait son premier amour. Elle eut alors l'audace d'embrasser les lèvres de Matías Pérez, non sans un léger tremblement, dont il profita pour mordre doucement la bouche de la jeune fille et prolonger l'extase.

Ils revinrent à eux alors que le ballon volait à la dérive au cœur de l'orage. L'éclair annonça la foudre, et leurs corps électrisés semblèrent deux étoiles. Un épais rideau de pluie se ferma sur eux et on ne les revit jamais plus. La légende ignore tout de cette rencontre, et chaque fois que quelqu'un disparaît, ou que quelque chose se termine, on a coutume de dire : « il s'est envolé comme Matías Pérez ». Mais il faudrait ajouter « et comme Dulce Renée ».

La plume de José Martí

Sur le portrait qui le montre écrivant des vers à l'*Ève nue qui effeuille une violette dans son thé*, on croirait voir sa plume frémir légèrement. Lucía se souvient d'une visite au musée, en plein midi, alors que la lumière tamisée de poussière d'un soleil endiablé ensorcelait les vitres. Il est trois portraits qu'elle contemple avec fascination : Ignacio Agramonte, Carlos Manuel de Céspedes et José Martí.

Le 5 avril 1870, Martí avait dix-sept ans quand il fut emprisonné aux carrières de San Lázaro, alors situées à la fin du Paseo del Prado, près de l'actuel tunnel de la baie de La Havane. Sa cellule, devenue monument historique, s'y trouve encore.

Certains jours, Lucía s'éveille en pensant très fort à ce Martí si jeune, presque enfant encore, qui fut arraché à sa famille et accusé de conspiration, comme tous ceux qui rêvent de liberté. Son incarcération était due à un échange de lettres avec son condisciple Fermín Valdés Domínguez, dont il avait refusé de trahir l'amitié. Il faut chercher dans l'éducation reçue de son maître José María de Mendive, dans le métissage de sa famille – sa mère était créole et son père espagnol – et dans ses années passées au bagne, la clé de l'œuvre et de la personnalité mystérieuses du plus grand poète, penseur, homme politique et révolutionnaire de Cuba.

Une nuit, Lucía vivait à l'époque au numéro 2 de la rue Mercaderes, le vacarme d'une musique stridente mêlant batteries, guitares électriques et tambours traversait les murs du séminaire de San Carlos y San Ambrosio, l'empêchant de fermer l'œil. Que pouvaient bien fêter les moines et les séminaristes à pareille heure ? Elle s'habilla, sortit et se mit à déambuler aux abords du parc des Amoureux. Elle avançait au hasard quand elle se retrouva soudain face au monument qui rappelle l'emplacement de la cellule circulaire de José Martí. Lucía frissonna et alla s'asseoir sur l'herbe humide, son corps glissa jusqu'à un trou où elle se lova et s'assoupit.

C'est alors qu'il apparut, exactement tel qu'il était sur la vieille photo, le crâne rasé, dans ses vêtements clairs, couleur de pierre, très maigre et le visage flou malgré sa couleur nacrée. Lucía put apercevoir ses pieds délicats, ensanglantés, et la chaîne qui enserrait sa cheville et se terminait par un gros boulet de métal. La jeune fille se leva et s'avança vers cette présence opaline. Mais il l'arrêta d'un geste ferme de sa longue main osseuse. Il n'était pas triste et ne souffrait pas, c'était une figure irréelle emplie d'amour.

Peu après, un policier réveilla la jeune fille d'un coup de pied dans le ventre et lui demanda ses papiers. Elle s'étira, fouilla dans son sac et en sortit sa carte. Le policier l'avertit :

– Il va falloir m'accompagner au commissariat. C'est bizarre, ce nom de Lucía Jérez [1] me dit quelque chose. Sans doute une délinquante fichée.

Elle répondit, furieuse, qu'elle n'irait pas au poste, qu'elle n'avait rien fait. Elle mentit en ajoutant qu'elle s'était endormie en attendant des amis avec lesquels elle avait rendez-vous. Le policier hésita, mais, se souvenant qu'il devait aller retrouver un collègue pour toucher sa part sur la revente d'une saisie de cocaïne, il la laissa filer.

Elle aurait juré que Martí lui était apparu avant la stupide irruption du policier. Elle n'appréciait guère ce Martí politique que chacun est obligé d'étudier à l'école. On a fini par donner aux jeunes une indigestion de consignes patriotiques tirées par les cheveux et sorties du contexte dans lequel elles avaient été formulées en leur temps. Lucía préférait le Martí des *Vers libres*, ou ses poèmes érotiques, et aussi ses récits de voyages, sa correspondance. Découvrir sa pensée hors des interprétations toutes faites avait fait germer en elle des interrogations qui n'avaient jamais trouvé de réponse. Le mystère de Martí venait de sa simplicité, de son esprit généreux qui le conduisit à idéaliser un pays.

Lucía regagna tête basse sa chambre de la rue Mercaderes. Elle était amoureuse d'un homme qui justifiait toujours son absence continuelle par des prétextes banals. Elle passait le plus clair de son temps seule, à tenir un journal ou à lire des livres interdits. Elle monta l'escalier en veillant à ne pas

1. *Lucía Jérez*, 1885, roman de José Martí. *(N.d.T.)*

faire de bruit. Dans l'évier collectif, le robinet coulait goutte à goutte, éternellement. La chambre du peintre Julián Marea était éclairée. Quand elle passa devant sa porte, celle-ci s'ouvrit, et le peintre, torse nu à cause de l'intense chaleur, lui sourit.

– Je n'arrive pas à dormir à cause de ce putain d'été qui n'en finit pas, déplora-t-il de sa voix ensommeillée. Entre, je t'invite à prendre un thé, ou un café. Je n'ai pas d'eau fraîche. Tout ce que je peux t'offrir, c'est de l'eau tiède du robinet.

Elle choisit le café, bien sucré et plus noir que la nuit. Ils parlèrent de choses et d'autres. Puis Marea lui avoua qu'il voyait des esprits, et que, dans la chambre occupée actuellement par celui que tous appelaient l'Avocat, il avait senti la présence de Juan Alberto Gómez qui préparait la guerre de 1895 aux côtés de Martí. C'était un fait avéré, ils s'étaient réunis précisément dans cet édifice, qui avait été un couvent, juste dans la pièce que Lucía occupait à présent, pour mettre sur pied une nouvelle et ultime conspiration.

– Il paraît que c'est dans ma chambre qu'ils ont comploté, ajouta-t-elle.

– Oui, bien sûr, mais ils ont aussi déplié des cartes là où vit maintenant l'Avocat.

Julián Marea et Lucía Jerez se quittèrent très naturellement, convaincus qu'ils étaient épiés par les fantômes. Mais elle n'avait rien dit au peintre de l'apparition qu'elle avait eue en rêve. Elle arriva à sa chambre, la fête du Séminaire était terminée, le jour allait se lever.

La pièce n'avait pas de fenêtre, juste un œil-de-bœuf qu'elle avait appris à boucher avec un coussin pour que la lumière ne trouble pas l'obscurité qu'elle appréciait tant lorsqu'elle dormait durant la journée. Morte de fatigue, Lucía se jeta sur les draps qui embaumaient le jasmin.

Son père avait pansé ses plaies. Sa mère aussi était allée le voir et elle avait pleuré amèrement, même si elle avait essayé de se retenir devant son fils. Les mains du père placèrent des petits coussins que doña Leonor avait cousus pour séparer les fers des blessures purulentes. Il mangea, mais peu, car la souffrance de ses parents lui coupait l'appétit. Ils s'en furent le cœur gonflé de tristesse, et il profita de l'heure de repos qu'il lui restait. Il laissa glisser son corps maigre dans un trou. Ses paupières se fermèrent, engloutissant son âme et toute la pesante réalité dans un sommeil très profond.

Il fit alors son apparition dans une ville dont l'architecture était très différente de celle de son époque. C'était un garçon intelligent, et il comprit tout de suite qu'il avait voyagé vers le futur. Il regarda ses jambes, vit qu'il traînait encore son boulet, et il eut honte de marcher ainsi, recouvert de la poussière de la carrière. Cependant, la douleur de ses blessures s'était atténuée, et il remarqua qu'il se trouvait à l'endroit précis où il avait été emprisonné. Seulement, autour de sa cellule s'élevaient d'étranges bâtiments, une statue équestre se dressait sur une esplanade, et, à ses pieds, une jeune fille de quelques années de plus que lui reposait, recroquevillée. Elle ouvrit les yeux, certainement apeurée par sa présence. Non, se dit-il, elle n'a pas peur. Mais elle me connaît, alors que moi, je ne la connais pas.

La jeune fille se leva, voulant s'approcher de lui, mais il l'en empêcha d'un geste trop impérieux.

Les phares puissants d'un bus lui firent mal aux yeux, qui n'avaient pas du tout l'habitude de ces drôles de machines. Il s'évanouit. Le militaire espagnol le réveilla d'un coup de pied dans le ventre, il devait se dépêcher de retourner aux travaux forcés.

Les cloches de la cathédrale sonnèrent trois heures. La chambre était baignée dans la fumée bleue d'un cigare. Quelqu'un observait sa nudité, tout en fumant non loin d'elle. L'inconnu avait enlevé le coussin de l'œil-de-bœuf, mais Lucía ne parvint pas à identifier la silhouette enveloppée dans le halo du contre-jour. Elle griffonnait sur une feuille et une plume d'oie tremblait dans sa main.

Huit étudiants en médecine

Le ciel se dégagea enfin après la tempête, qui avait duré deux jours entiers. Dans le cimetière d'Espada, le soleil donnait aux tombes un reflet doré, l'odeur de mousse qu'elles exhalaient rivalisait avec le parfum des jasmins. Des pas pressés se firent entendre, suivis de rires étouffés. L'une des voix fit taire les autres :

– Un peu de respect, messieurs ! Ne voyez-vous pas que nous sommes dans un cimetière ? tança Anacleto.

Le silence régna de nouveau, pour quelques minutes à peine.

– Je suis amoureux, je te jure que je suis amoureux...

– Chut, j'ai entendu un bruit, là-bas, derrière.

– Ce ne sont que les branchages, et vous avez peur ! De vraies poules mouillées !

– Regardez, regardez ce que j'ai trouvé, le chariot de la morgue !

– On devrait faire un tour !

Deux d'entre eux montèrent dessus, poussés par deux autres, tandis que le reste de la troupe gambadait derrière. Les huit jeunes gens étaient heureux, la journée était belle, la vie leur souriait.

Mais dans cette Havane de 1871, le gouverneur supérieur de l'île était don Blas Villate, comte de Valmaseda, chef principal des opérations militaires depuis le début de l'insurrection. L'homme s'était rendu célèbre par sa cruauté. Le 4 avril 1869, il avait décrété : « Tout homme âgé de quinze ans ou plus, se trouvant hors de son district sans pouvoir justifier d'un motif valable, sera passé par les armes. » Il fusilla sous ce prétexte un nombre scandaleux de civils.

Les jeunes gens descendaient une allée, ils prenaient place tour à tour dans le chariot, en riant. Un cri euphorique s'échappait de temps à autre de leurs lèvres. Enfin, ils s'assirent à côté de la tombe d'un militaire espagnol, où ils se reposèrent un moment. Le garçon qui avait déclaré être amoureux arracha quelques fleurs sauvages et tenta – sans succès – de graver un cœur dans la pierre dure. Peu après, ils partirent du cimetière bras dessus bras dessous. En toute innocence, ils sortirent dans la rue.

Quelques jours plus tard, tous les étudiants de première année de la Faculté de médecine furent arrachés à leurs salles de classe et à leurs foyers pour être emprisonnés sous l'accusation d'avoir profané la tombe d'un journaliste politique. Les recherches montrèrent cependant que la tombe était intacte, et que seul un aveuglement sanguinaire, prompt aux abus, avait condamné les jeunes gens.

Les conclusions de l'enquête, qui disculpaient

les accusés, furent ignorées, et le procès se poursuivit comme si de rien n'était. Huit étudiants furent choisis à pile ou face, au petit bonheur. Il s'agissait de ceux qui, par un après-midi ensoleillé, s'étaient promenés dans le cimetière. Au terme d'un conseil de guerre sommaire, ils furent fusillés, quatre heures après que la sentence eut été prononcée. Valmaseda ne se trouvait pas à La Havane, mais il ordonna l'exécution, qui eut lieu au carrefour de San Lázaro et du Malecón. Les trente-quatre autres se retrouvèrent au bagne où, enchaînés deux par deux, ils cassèrent des pierres dans les faubourgs de la ville sous la férule des soldats espagnols.

Un autre après-midi, en 1970, huit enfants jouaient à se jeter des pierres à ce même carrefour où les étudiants moururent fusillés. La chaleur était telle que, au loin, la statue équestre miroitait sous les effets diaboliques de la réverbération.

– Ce soir, ma tante vient me chercher pour m'emmener avec ma sœur chez elle, à Santiago.

Le garçon dessina sur le sol un cœur de craie.

– Pourquoi tu pars aussi loin ? demanda le petit rondouillard.

– On emmène papa et maman couper la canne à sucre.

– On a emmené les miens hier ! s'écria un troisième. Moi, je vais m'en aller à l'école aux champs dans une semaine. Maman ne voulait pas me laisser partir, elle a pleuré comme une idiote.

– Moi, mes parents ne vont à aucune récolte, ajouta courageusement un quatrième, tandis qu'il lançait des pierres dans le vide.

Les autres firent cercle autour de lui, médusés. Le plus grand, le visage menaçant, s'approcha de l'effronté qui avait osé proférer une énormité pareille.

– Et comment ça se fait, mon vieux ? Dégage ! Eh, les gars, ce mec est un traître ! On va lui faire la peau !

– À mort, à mort ! reprirent en chœur ses camarades.

Ils le collèrent contre une des colonnes du rond-point. Deux d'entre eux l'attachèrent avec une corde, il se débattait en les suppliant de le laisser partir, car il avait soif, très soif. Les autres se plantèrent à deux mètres de distance de lui et brandirent des bâtons comme des fusils. Ils le mirent en joue et firent feu, imitant de la bouche le sifflement les balles. Comme le condamné ne voulut pas faire semblant de tomber mort, ils lui flanquèrent une raclée et l'abandonnèrent à son sort.

La comtesse créole ou l'autre voyage

La Havane était encore une ville fortifiée. À neuf heures du soir, le coup de canon de La Cabaña annonçait la fermeture prochaine des portes de la muraille. Il pleuvait des cordes, présage de tempête. Elle franchit le portail de fer juste au moment où les soldats allaient refermer les deux lourds battants de bois massif. Elle salua d'un clin d'œil malicieux le garde à son poste. Une calèche l'attendait à l'extérieur.

La grande demeure se trouvait à la campagne, sur une colline autrefois boisée et d'accès réservé avant que la ville ne s'étende, non loin de ce qui est aujourd'hui précisément un des cœurs de La Havane, à savoir le Vedado. Enjambant les flaques, elle parcourut la distance qui séparait la calèche du portail, en s'abritant sous une cape d'agneau glacé. La maison était déserte et, dans le vestibule, elle se débarrassa de sa cape, du dernier châle offert par son défunt époux, et de son chapeau orné d'un voile violet. Elle découvrit les meubles en ôtant les housses blanches qui les protégeaient de la poussière. Elle versa du vin rouge dans une fine carafe de cristal vénitien et disposa deux verres sur la table centrale du petit salon. Elle s'assit ensuite près de la fenêtre pour attendre Philarète Chasles, son amant, qu'elle n'avait pas vu depuis six mois. Dans sa dernière lettre, elle l'avait senti un peu chagrin, car son travail d'écrivain n'avançait pas, à la Faculté, le climat était détestable, ou peut-être était-il simplement jaloux des nombreuses sorties nocturnes de la comtesse, dont la dernière lubie avait été de se mettre au chant. C'était plutôt elle qui aurait dû être jalouse ! Philarète s'était taillé une réputation de coureur de certains jupons cousus d'or.

Dès son plus jeune âge, elle avait aimé le bel canto, mais c'était seulement maintenant, à bientôt soixante ans, qu'elle pouvait s'y consacrer de toute son âme. Fermant les yeux, elle évoqua son enfance heureuse.

María de la Merced Santa Cruz y Montalvo naquit à San Cristóbal de La Havane le 5 février 1789. Elle était la fille du troisième comte de Jaruco, et devait épouser plus tard le comte de Merlín. Sa famille était issue de la lignée de rois anciens et puissants, Alphonse IX de Castille, Sanche VIII de Navarre et Pierre II d'Aragon. Du côté maternel, les racines de son arbre généalogique remontaient au comte de Macuriges. María de la Merced ne put jamais porter aucun de ces titres nobiliaires, car ils revenaient à son frère Francisco Javier. Elle ne put pas davantage utiliser le titre de son époux, car il lui avait été concédé par Joseph Bonaparte – dit « Pepe Botella » par les Espagnols – lors de son couronnement à Madrid, et ni

Napoléon Ier ni Ferdinand VII ne reconnurent ce lignage au moment de signer la paix d'Espagne.

Mais María de la Merced n'avait nul besoin de titre. Elle était d'une beauté exubérante, elle avait la noblesse dans le sang, et du talent à revendre. Très jeune, elle choisit la langue française pour coucher ses sentiments sur le papier. Elle devint très tôt écrivain.

Quand l'enfant eut huit ans, sa mère se rendit compte qu'elle menaçait de déployer des ailes dangereusement libertaires, et la famille décida de l'enfermer dans le couvent de Santa Clara. Courageuse, volontaire, joyeuse, débordante de vie, ainsi la décrivaient l'abbesse et les nonnes, qu'elles fussent vénérables ou novices. Elle ne tarda pas à s'enfuir, pour se réfugier dans les jupes de Mamita, la grand-mère qui lui passait tous ses caprices. Son père insista pour qu'elle retourne au couvent, mais sa tante l'abbesse refusa de l'accueillir à nouveau. La petite fut confiée à sa grand-tante, la marquise de Casteflor. Elle était déjà devenue une jeune fille quand sa mère, Teresa de Montalvo, la reprit auprès d'elle, à Madrid, pour l'aider à tenir un salon d'intellectuels et d'hommes politiques. Paris en était le modèle, et on y devisait de poésie, de passions scandaleuses, de mode et de labyrinthes politiques.

Un jour, sa mère lui annonça que le roi souhaitait la marier. Et sans connaître le prétendant, elle dut obéir et épouser l'aide de camp de « Sa Majesté » le roi Joseph, le général Cristóbal Antonio Merlín, dont les états de service étaient brillants mais qui était laid à faire peur. Après la chute du roi, le couple dut émigrer en France.

Elle s'était remémoré sa vie en peu de temps.

Une demi-heure s'était peut-être écoulée. Elle eut faim. Elle se dirigea vers la cuisine, n'y trouva qu'un morceau de fromage à demi pourri et un pain aussi dur que le cèdre de la table. Elle soupira et se promena, les bras croisés, à l'intérieur de la maison en observant les portraits de ses ancêtres. Elle sourit devant le rictus emblématique du sang bleu qu'arborait le visage de son père. Lui, toujours si cérémonieux, pensa-t-elle, amusée.

Lorsqu'elle fut parvenue au patio de la maison, le temps s'était levé, et elle pensa cueillir quelques noix de cajou et quelques prunes aux arbres les plus proches. Elle revint la jupe remplie de fruits jaunes et rouges qu'elle mit dans un plat, puis elle retourna s'asseoir près de la fenêtre. Son amant ne pouvait pas avoir oublié le rendez-vous, c'était impossible. Elle était morte de fatigue, elle avait veillé tard en écrivant, avant de consacrer sa journée aux préparatifs de son retour à Paris. Elle se reposait assez peu, ces derniers temps. Outre les fêtes qui l'épuisaient, son corps lui rappelait son âge à chaque instant, tandis que son esprit débordait de jeunesse. Mais les nuits blanches n'étaient plus pour elle.

Tandis qu'elle suçait une noix de cajou, ce qui lui creusait des fossettes dans les joues, le visage de George Sand, amoureuse d'une façon si insensée d'Alfred de Musset, lui vint à l'esprit, ainsi que ceux de Rossini, de Balzac...

La comtesse créole avait réussi à attirer la crème du Tout-Paris de l'époque. Chopin avait été comme un frère pour elle, et Liszt lui offrait chaque après-midi une de ses mélodies. Tous louaient sa distinction, son don extraordinaire pour la conversation, sa voix magnifique lorsqu'elle entonnait des airs d'opéra à la mode. Elle prenait part à des concerts de charité en faveur des Grecs et des émigrés polonais que la France, généreuse, accueillait à bras ouverts.

La comtesse créole devint célèbre et publia son premier livre en 1833. Son époux mourut vers 1839. La veuve était une belle femme de quarante-quatre ans, superbe et élégante, débordante de désir et de passion. Se sachant libre, elle pressentait qu'elle devait équilibrer sa vie entre les plaisirs et l'écriture. Certains lui prêtèrent même une relation ambiguë avec une garçonne aux grands pieds.

Un an après la mort du mari, une intense nostalgie de La Havane s'empara d'elle. Elle avait passé plus de six lustres absente de sa terre natale. Et elle prit le large le cœur battant. Dans la capitale, où elle fut reçue triomphalement, elle n'eut de cesse de faire partager le trésor de sa voix et organisa d'élégants concerts philanthropiques. Sa voix aux intonations douces et au timbre puissant stupéfia le public, d'autant plus qu'elle frôlait le mitan de la quarantaine. La ténacité dont elle avait toujours fait preuve depuis sa jeunesse ne l'avait pas abandonnée. Elle resta dans l'île quarante jours, et cette courte période lui suffit pour écrire sur le sujet un des livres les plus authentiques et les plus profonds qui soient, intitulé *Viaje a La Habana.*

Elle avait rencontré dans les salons Philarète Chasles, dont elle devint l'amie. Elle traduisit en sa compagnie ce livre en français. Ce fut également avec lui qu'elle commença cet ultime et intense amour qui la maintenait presque en permanence dans une extase romantique et littéraire. Elle était à présent retournée à La Havane pour Philarète. Il était bel homme, et amateur de femmes. Ce qui ne l'empêchait pas d'être titulaire d'une chaire et d'écrire passionnément.

Elle sourit en entendant des pas sur le gravier de l'allée d'entrée, des pas d'homme faisant éclater les baies éparpillées sur le sol. Elle courut à la porte, c'était lui. Ils s'embrassèrent longuement, puis elle le conduisit au salon où elle avait disposé le vin et les fruits.

– Phil, excuse-moi de t'avoir fait venir si tard, je mourais d'envie de te voir, nous avons été séparés si longtemps. Le voyage a dû te fatiguer... Oh, mon amour, tu sembles si jeune. Quand je pense que j'ai dix ans de plus que toi, je deviens jalouse des femmes beaucoup plus jeunes que tu pourrais rencontrer. Et ta femme ?

Il la fit taire en lui suçant les lèvres.

– Ne dis rien, Mechy, tu sais que je brûlais d'impatience de te revoir.

Face à face, chacun dans un fauteuil, ils se regardèrent en buvant lentement le vin. Elle lui tendit le plateau de fruits, il prit une prune.

– Ne crois pas que le voyage ait été si dur. Je dois rendre grâce à mes insomnies. Tu sais, j'ai réussi à lire pendant la traversée. J'ai travaillé sur ce livre pour le Collège de France. Les projets de la bibliothèque Mazarine avancent, Dieu merci...

Il caressa de ses doigts fins son bouc d'intellectuel rêveur. Elle eut une moue contrariée :

– D'abord, tu me délaisses trop longtemps pour tes sorbonnards et leurs sornettes ennuyeuses. De plus, je suis jalouse, je l'avoue, car j'ai encore appris que tu te promènes avec des filles qui ne méritent même pas qu'on en parle. Enfin, qu'ils aillent tous au diable, intellectuels et putains ! Je sais que j'ai mille défauts, mais pas un qui ne soit motivé par mon amour pour toi...

– Je te reconnais bien là, Mechy, mais dis-moi, pourquoi m'avoir donné rendez-vous en un endroit si éloigné de la ville ?

– Jamais je n'ai fait l'amour dans ce lieu. Quand j'étais petite, c'était la maison de campagne d'une de mes grands-tantes, l'abbesse. Elle vivait au couvent et ne mettait presque jamais les pieds sur ses terres, dont les autres membres de la famille ont toujours profité. Quand toute la famille venait en vacances, je m'imaginais que je resterais ici, quand je serais grande, avec mon homme.

Ses yeux de créole scintillèrent de plaisir.

– Pourtant, la maison ne semble pas à l'abandon, remarqua Philarète.

– De temps en temps, quelqu'un de la famille vient jeter un œil, ou bien une personne de confiance est engagée pour venir faire le ménage... Mais oublions ces détails, et occupons-nous de nous...

Un grillon chanta et les grenouilles coassèrent. Ils s'extasièrent de ces bruits jusqu'à ce que le silence régnât de nouveau. Elle s'approcha de son amant, s'assit sur ses genoux et le chatouilla de ses ongles sous les côtes, il éclata de rire. Ils s'embrassèrent à nouveau, et il réussit à l'écarter :

– Pourquoi doutes-tu de mon amour ? Comment peux-tu être jalouse de fantômes ?

– Ce ne sont pas des fantômes. Tu as une femme, et, en outre, tu ne penses qu'à la bagatelle. La jalousie, les doutes, la fureur, la peur, le désir : tout cela, c'est l'amour, vois-tu, et tu ne peux pas me l'enlever, ni empêcher que je me sente malheureuse. Si j'arrivais à me corriger, tu me trouverais aussi ennuyeuse que la perfection. Je suis prête à abandonner le grand monde pour toi.

Alors, il la porta dans ses bras jusqu'au lit de la chambre la plus proche, et là, il la dévêtit lentement, ses mains parcoururent sa peau encore lisse. Elle dénoua ses longs cheveux et une odeur de camélia envahit la pièce. Le désir fut plus fort que la pudeur, elle faillit déchirer les vêtements de l'homme. Une fois qu'il fut nu devant elle, elle prit son sexe entre ses mains et le suça jusqu'à ce qu'il demande grâce et se dérobe de peur d'éjaculer dans sa bouche avant de la pénétrer. Il se jeta sur le lit, elle se pencha et approcha le membre de l'homme de son sexe, en l'enfonçant au plus profond de sa chair brûlante. Avant de commencer le deuxième round, elle sortit d'une armoire des sous-vêtements féminins, qu'elle força son amant à passer, puis elle le maquilla : lèvres, sourcils, grain de beauté. Elle tira ses propres cheveux en arrière et les pommada de brillantine puis, vêtue d'un costume masculin, elle fit la cour à son amant féminisé à son goût. Ils s'aimèrent jusqu'au petit matin en inversant les rôles, et au réveil ils reprirent leurs caresses, en retrouvant leurs rôles respectifs.

María de la Merced de Santacruz y Montalvo resta seule dans la baignoire de porcelaine aux pieds d'or tandis que Philarète allait chercher d'autres fruits pour leur petit déjeuner. Il avait apporté du fromage et du pain dans son sac de voyage, et il partit en quête d'oranges ou de goyaves. À l'extérieur, le soleil dardait des rayons obliques.

María de la Merced ferma les yeux, pria l'un de ses anges gardiens d'apparaître, de lui faire au moins un signe, elle avait besoin d'aide. Un profond silence s'installa, une brise embaumant le santal et la myrrhe parcourut la salle de bains, l'odeur de sa grand-mère Mamita. La comtesse s'enfonça dans la baignoire en laissant pendre ses bras dehors, les paupières closes, elle chercha à entrer en communication avec l'ange. Elle sentit qu'on lui serrait la main gauche, et un léger baiser effleura sa joue.

« Où me conduira cet amour ? »

Elle désirait plus que tout que l'esprit lui réponde :

– *Tu seras aimée jusqu'à ta mort. Tu mourras à Paris, vers la fin de l'hiver de tes soixante et quelques années ; tu auras épuisé les triomphes, les talents, les passions. Et ta dernière pensée sera pour cette nuit de pleine lune où tu as joui comme jamais.*

La comtesse se redressa, les yeux grands ouverts. Même si elle avait souvent eu l'expérience de ce genre de communication avec l'au-delà, cela ne l'empêchait pas d'avoir peur à chaque fois. Elle se frotta les yeux face à une lumière bleutée qui papillotait entre les fenêtres, se cognant aux vitres. Puis le rayon indigo se posa sur son front tel un baiser éphémère pour sauter aussitôt vers un petit cadre où l'on voyait le visage de sa grand-mère.

Une demi-heure plus tard, Phil apparut avec un panier rempli de goyaves, d'oranges, de tomates, d'avocats, d'anones, de corossols, de *mameys*, et il tenait même une poule dans l'autre main.

– Suis-je ou non un amant idéal ?

– Tu es un génie, mon amour, viens là, approche-toi pour que je goûte ta bouche aussi délicieuse que ces fruits.

Il posa la poule qui, les pattes attachées, roula sur le sol, et mit le panier de côté. Plongeant la main dans l'eau, il caressa son clitoris. Ils firent l'amour dans l'étroite baignoire. Lui, assis sur le bord, elle, l'enserrant entre ses jambes.

Ils restèrent ainsi quatre nuits, s'aimant comme des fous dans tous les recoins de la demeure champêtre. Lisant, écrivant, chantant les classiques, courant pour jouer à cache-cache, ou à colin-maillard.

La calèche qui l'avait conduite là vint les chercher. Le cheval de Philarète les suivit de près. Quelques jours plus tard, ils s'en retournèrent à Paris, où ils continuèrent de s'aimer jusqu'à une nuit de mars 1852, où expira l'une des Cubaines les plus universelles, María de la Merced Santacruz, comtesse de Merlín, auteur d'un certain *Voyage à La Havane.*

Le barbier envoûté

Les capitaines généraux avaient coutume de se faire couper et coiffer les cheveux par Matías Lima, barbier de réputation irréprochable. On voyait aussi apparaître chez lui des officiers de moindre catégorie, voire de simples soldats. Matías n'avait pas son égal pour poudrer les perruques, dessiner des accroche-cœurs sur les fronts, ou faire virer par ses teintures les cheveux blancs au jaune paille ou au verdâtre. Il rasait à l'aide de shampooings et de crèmes au lait de chèvre et aux olives. Il faisait disparaître les longs poils du nez, des sourcils et des oreilles grâce à une cire parfumée à la cannelle, et il cherchait même, selon la rumeur, à mettre au point une formule pour vaincre la calvitie. Il proposait des massages du visage et faisait la manucure. Un véritable artiste. Ses parfums et ses eaux de toilette rafraîchissantes venaient de lointaines contrées orientales.

Le barbier aimait les femmes, et celles-ci lui couraient après, car il était en outre beau garçon. Il ne s'était jamais marié et avait jeté son dévolu sur plusieurs dames d'un certain rang, car il rêvait d'entrer dans le monde des riches. Il avait néanmoins des aventures, et il prenait son plaisir avec les beautés les plus délurées de la ville.

Un après-midi, un soldat vint faire masser son visage imberbe. Ses yeux couleur du temps battaient des cils devant le barbier, ses joues s'empourprèrent de timidité, il mordilla ses lèvres charnues qui devinrent cramoisies. Il était d'une beauté difficilement supportable. Et pour comble, lorsque le barbier caressa ce visage, il se rendit compte que sa peau fiévreuse avait électrisé la sienne. Il ne voulut pas se l'avouer tout de suite, mais le jeune homme lui plaisait. Celui-ci, de son côté, s'ingéniait à mettre en valeur ses charmes naturels. Il était mince, avec des hanches étroites, mais un derrière rebondi. Un corps serein et harmonieux.

Matías Lima acheva son massage troublé au plus haut point. Balbutiant, il demanda à son client s'il souhaitait qu'il lui coupât les cheveux, ou qu'il lui fît les ongles. Le jeune homme refusa de se laisser toucher la tête et assura qu'il reviendrait un autre jour pour se faire ôter les cuticules. Il partit en fendant de son plus beau sourire le cœur du barbier, lequel attendit comme un damné la visite promise. Il glana discrètement des informations sur sa personne. On savait peu de chose de lui, car il restait à l'écart des conversations de ses compagnons et ne sortait jamais la nuit, hormis, s'il était de garde, pour effectuer les rondes nocturnes le long de la Muraille.

Une semaine plus tard, le soldat fit sa réapparition. Il avait les mains fines, et Matías fut sur le point de couvrir de baisers ces doigts que la rudesse de la vie militaire n'avait pas réussi à rendre calleux, mais il parvint à étouffer son désir et même à esquiver le pénétrant regard aux reflets changeants.

C'est seulement quand ils restèrent seuls dans le salon que Matías Lima osa lever les yeux, et il rencontra alors un visage qui s'offrait à lui sans la moindre retenue. Le jeune homme lui fit signe de le conduire vers l'arrière-boutique, et le barbier lui obéit comme un automate. Puis il ferma la porte à clé derrière lui, non sans y avoir auparavant placé l'écriteau :

Votre barbier est sorti déjeuner.

Le soldat embrassa alors à pleine bouche le barbier qui, encore perplexe, n'osa réagir. Ensuite, il ôta délicatement les épingles qui retenaient ses cheveux châtains, soyeux et ondulés. Il dégrafa la veste de son uniforme, puis sa chemise blanche, et il les posa sur une chaise. Il débarrassa enfin son torse d'une bande qui opprimait ses seins ronds aux tétons rosés. C'était une jeune fille à la peau tiède.

La femme de mes rêves ! pensa Matías Lima.

Ils s'aimèrent, elle n'était pas vierge. Ils parlèrent à peine, juste quelques mots doux. Elle lui demanda de rester discret, il y allait de sa vie. Et ils se donnèrent rendez-vous la nuit suivante dans la *garçonnière** du barbier. Ils se rencontrèrent ainsi pendant plusieurs mois. Ils avaient même prévu de révéler la vérité pour pouvoir convoler en justes noces quand le frère de Luisa retrouva sa trace.

* Tous les mots en italique suivis d'un astérisque sont en français dans le texte. *(N.d.T.)*

Luisa ne put que révéler la vérité à Matías. Son frère aîné abusait d'elle depuis l'enfance. Aussi avait-elle décidé de s'enfuir de la maison et de se déguiser en homme pour s'enrôler dans l'armée, pensant ainsi échapper à toute poursuite. Mais son frère avait remué ciel et terre à sa recherche. Le hasard l'avait mis sur sa piste. Une nuit de beuverie à l'Auberge de la flotte, il entendit un soldat se moquer d'un certain Luis, de ses chichis et de ses manières qu'il ne parvenait pas à dissimuler. L'homme flaira quelque chose, il s'enquit de l'adresse du régiment et ne tarda pas à apercevoir sa sœur déguisée en militaire. Il ne put réprimer un frisson devant sa splendide présence. Il l'accosta par surprise.

– Je dois te parler.

– J'ignore qui vous êtes, répondit-elle, en rentrant le menton dans sa poitrine.

– Allez, ne fais pas l'idiote, enlève-moi ce déguisement et suis-moi à la maison. Papa est au plus mal. Bientôt, il sera trop tard.

Ils étaient orphelins de mère et leur père se mourait dans le délire d'une cirrhose du foie.

– Je n'irai nulle part avec toi. Je suis désolée pour mon père..., souffla Luisa.

Il allait la saisir par le bras quand elle se mit à courir vers la boutique du barbier. Par chance, Matías Lima était tout seul, en train de nettoyer peignes et ciseaux.

– Que t'arrive-t-il ? Tu es si pâle...

Et il l'embrassa.

Dans la chambre, elle conta son tourment. Il lui promit de la protéger.

– Tu ne bougeras pas d'ici, on trouvera bien un

endroit où tu pourras te cacher jusqu'à ce qu'il parte...

– Non, il ne partira pas, j'en suis sûre... Il est entêté et très méchant...

Elle pleurait de rage.

Le barbier lui demanda de l'attendre, il allait emprunter à un ami sa *garçonnière** quelques semaines, pour plus de sécurité.

Le frère de Luisa avait couru derrière elle, mais il était trop lourd, et sa sœur connaissait sur le bout des doigts les ruelles du Port, aussi il ne tarda pas à la perdre de vue. Adossé à un mur, il reprit son souffle et préféra attendre. Peu après, il commença à marcher lentement, goûtant la température de la brise iodée ; c'était un air chaud, comme l'haleine d'une vache. Il soupçonnait tous les visages d'être de mèche avec Luisa pour se moquer de lui.

Un homme non loin de lui pressait trop le pas, et il eut l'intuition qu'il devait le suivre. Il marcha assez longtemps, en direction du quartier de Jesús María. Quand il le vit entrer dans un édifice délabré, il attendit trois minutes avant de monter l'escalier à la suite de cet homme beau et élégant, dont, à son sens, sa sœur avait tout à fait pu tomber amoureuse. Au milieu des marches, il hésita, se disant qu'il faisait une bêtise. Il s'apprêtait à renoncer et à rebrousser chemin quand une conversation lui parvint de derrière une porte peinte en bleu caraïbe, avec un liseré de petites fleurs jaunes dessinées le long de l'encadrement de bois.

– Aide-moi, Angel de los Espíritus, il faut que je protège cette fille, peux-tu me prêter cet endroit pour quelque temps ?

– Tu sais que je suis moi-même en fuite. Je dois demander à M. Arsenio s'il veut bien qu'il y ait une personne de plus. S'il ne tenait qu'à moi, l'endroit serait à vous sur-le-champ. Dis-moi, cette fille, c'est ta fiancée ?

– En effet, et son frère la cherche pour l'enlever. Je ne peux le laisser faire pour des raisons que je t'expliquerai. Je l'aime, je veux l'épouser, c'est comme si j'avais été envoûté... Je te jure que je m'attendais à tout sauf à ça !

– Sa vie est donc en danger ? N'oublie pas que je risque la mienne en l'acceptant sous mon toit.

Le barbier acquiesça. Angel de los Espíritus le serra dans ses bras :

– On ne peut rien te refuser. Qu'elle soit la bienvenue.

L'homme entendit des pas derrière la porte et dévala l'escalier à toute allure. Il suivit Matías Lima sur le chemin du retour et le vit entrer dans la boutique. Il les vit ensuite sortir tous deux se tenant par le bras, comme deux amis en goguette. N'importe qui les aurait pris pour un soldat et un barbier discutant de femmes et de bonnes bouteilles. Il les laissa s'avancer un peu vers lui.

Luisa crut se trouver face au démon, tant la haine défigurait son frère. Matías Lima comprit immédiatement qu'il devait la tirer par la main pour se mettre à courir. Il voulut cependant quêter un signe d'approbation dans les yeux de sa dulcinée. Elle répondit à son regard, la terreur massacrait ses pupilles. L'homme profita de cet infime instant d'inattention pour sortir son poignard qu'il planta au flanc du barbier. Il voulut reprendre sa sœur de force, mais elle résista et cria à l'aide. Ayant tiré de la poche de son amant les ciseaux de barbier, elle les enfonça dans la poitrine de son frère. Le scélérat, terrorisé et blessé, se fondit parmi les curieux accourus en masse.

Luisa assista à la convalescence du barbier sous l'habit de Luis. Personne n'avait remarqué l'histoire d'amour née entre eux. La cousine de Matías Lima s'occupa de tout, rendant grâce au soldat d'avoir défendu celui-ci lors de l'attaque et d'être resté à ses côtés jusqu'à l'arrivée du médecin. Les larmes coulaient le long des joues de Luisa à ces paroles.

Luisa et Matías disparurent dès que ce dernier fut sur pied. On n'entendit plus jamais parler d'eux. Certains assuraient qu'ils s'étaient suicidés en se jetant à la mer du haut d'un rocher, une pierre au cou. Selon d'autres, ils s'étaient enfuis à l'île de Lourdes. À tout hasard, Matías Lima fut décoré *post mortem* de médailles espagnoles pour services rendus aux capitaines généraux. Après tout, il avait été le plus insigne barbier de la Perle des Antilles. Les ciseaux qui avaient le mieux coupé les cheveux des autorités de la Couronne.

Un siècle et demi plus tard, quand les Russes débarquèrent sur l'île de Lourdes pour y installer leur base militaire, ils trouvèrent les arbres amoureusement taillés avec des ciseaux de barbier. Qui sait si les mânes d'un barbier envoûté par une beauté déguisée en soldat n'ont pas empêché un conflit mondial. Depuis qu'ils ont entendu gémir tendrement les amants dans la moiteur de la nuit, les militaires manquent d'entrain à l'heure de programmer des guerres et n'ont plus le cœur aux secrets nucléaires.

Sainte Flora

Elle dégringola l'escalier quatre à quatre et sauta les dix dernières marches. Derrière elle, hors d'haleine, descendait sa grand-mère Romelia, qui faillit avaler son cure-dents en trébuchant :

– Tu vas me tuer d'un infarctus ! Veux-tu t'arrêter, espèce de garçon manqué ! Ma parole, elle va se rompre le cou !

Du seuil de la maison de sa tante, où elle vivait avec sa grand-mère, au 108, rue de la Merced, on pouvait voir le porche de l'église du même nom. Une jeune femme faisait son entrée nuptiale dans une superbe robe blanche à traîne, tandis que son fiancé l'attendait à l'intérieur. María del Pilar voulut entrer dans l'église pour assister au mariage. Romelia refusa :

– Pas question ! Demain, tu dois te lever tôt pour aller à l'école.

C'était le premier prétexte qui lui était venu à l'esprit.

– S'il te plaît, mamie, sois gentille !

La petite n'eut pas besoin de trop de jérémiades. Elles finirent par s'asseoir sur un banc juste en face d'un long cercueil de verre dans lequel on voyait une silhouette de cire allongée. L'autel baroque attira l'attention de María del Pilar, qui s'en approcha à pas de loup tandis que la cérémonie commençait. Celle qui reposait là était morte dans la fleur de l'âge d'un coup de poignard porté au cou, où une bosse violacée marquait la cicatrice. À ses pieds brillait un calice d'or rempli de quelque chose qui avait l'apparence du coton. Ses yeux cernés de violet paraissaient prêts à s'ouvrir inopinément. Ses lèvres pâles étaient une invitation au baiser. María del Pilar se tourna vers sa grand-mère, qui avait l'air de suivre la cérémonie avec attention.

– Qui c'est, cette jeune fille morte enfermée dans la vitrine de verre ? demanda l'enfant une fois de retour à la maison.

– Sainte Flora, répondit Romelia.

– Qui est-ce qui l'a tuée ?

– C'était une des jeunes filles les plus belles de son époque. Elle avait eu un premier fiancé, mais elle s'est fâchée avec lui, et elle n'a plus jamais voulu de ses visites ni de ses explications. Lui, il était toujours amoureux d'elle. Le temps a passé, et Flora s'est fiancée avec un autre. Le jour de la noce, un mariage en grande pompe, bien sûr, au moment où Flora allait dire oui à son futur mari, le premier fiancé est apparu et lui a plongé sans pitié un énorme couteau dans la gorge. On dit que la blessure était si profonde que, quand il a retiré le couteau, son cœur était resté accroché au bout. Et c'est lui que l'on garde dans la coupe que tu as vue à ses pieds.

– Mamie, on dirait que la statue est vivante, et à un moment, j'ai eu l'impression qu'elle respirait.

– Ce n'est pas exactement une sculpture, c'est vraiment elle, mais embaumée. C'est son corps, ses cheveux, tout est à elle... On dit qu'elle a été plongée dans un bain de cire. Elle a été béatifiée parce qu'elle est morte dans l'enceinte sacrée de l'église.

Dès lors, María del Pilar profita des après-midi pour pénétrer en patins à roulettes dans l'église de la Merced, ce qui lui permettait d'éviter la sensation de désolation que le lieu ne manquait pas de provoquer en elle. Le bruit faisait vibrer les galeries, et elle se sentait plus forte que le mystère. Au début, elle passait comme une flèche devant sainte Flora. Elle frissonnait jusqu'à la moelle, la gorge sèche. Peu à peu, elle cessa d'avoir peur et retourna contempler de près la jeune poignardée.

Elle était en train de prier à genoux dans le transept quand elle entendit des voix, puis un chant ténu :

Ton regard, doux et pur,
Remplit de joie celui qui est triste.
Ah, ne me prive pas, tendre mère,
De ton regard un seul instant.

La voix s'échappait du cercueil de verre. Plus elle s'approchait, lentement et toujours sur ses patins, plus il était évident que la voix provenait de là. Sainte Flora chantait, adossée contre l'un des murs, et la pourpre de sa robe de velours s'était ravivée. Son corsage frémissait au rythme de sa respiration, et, à la fin de la strophe, elle poussa un soupir. María del Pilar l'entendit appeler son fiancé. Elle hésita un moment, puis décida de se présenter, mais sainte Flora se tut à nouveau pour toujours. Ou peut-être pas.

Des années plus tard, María del Pilar enseignait le catéchisme aux enfants du quartier. C'était désormais une femme, et elle étudiait la vie des saints pour son propre compte. Elle demanda au frère Raúl de la laisser accéder à certaines archives. C'est ainsi qu'elle apprit la véritable histoire de sainte Flora.

> *Sainte Flora fut une martyre chrétienne. Originaire de Séville, fille d'un mahométan et d'une chrétienne, elle embrassa la religion de cette dernière. Elle fut pour cette raison fouettée puis égorgée le 24-11-859. Son corps fut livré en pâture aux fauves, qui le laissèrent intact, et lancé le lendemain dans le Guadalquivir, où il fut repêché. La tête a été tranchée et emportée à l'église de San Asisclo de Cordoue. Ses restes, avec ceux de saint Victor, ont été portés en cette église de la Merced vers 1863 à l'initiative du père Jerónimo Villagas C. M. I., et on les révère en cet autel.*

Le baron allemand de la rue Inquisidor

– Vous n'allez pas déjeuner aujourd'hui non plus ? demanda la Noire au baron Humboldt, qui descendait l'escalier en toute hâte.

– Non, ma bonne vieille, excusez-moi. Je vais de ce pas à un rendez-vous important.

Cet homme parle avec cet accent si bizarre, il dort à peine, il court comme un lièvre, rien à faire, c'est une vraie tête de mule ! pensa la vieille Inés. De plus, il assistait toujours à des réunions plus intéressantes qu'un petit déjeuner fumant ou qu'un succulent déjeuner. *J'espère qu'il ne s'est pas fourré dans des histoires de conspirations qui pourraient faire du tort au maître, et avec le maître à nous tous.* Et la vénérable femme hocha la tête avec un soupir résigné.

Le baron allemand l'embrassa sur les joues avant de disparaître, englouti par la clarté du matin.

Inés fut surprise par ce geste, c'était la première fois qu'un Blanc baisait son visage ridé avec tendresse et sans intention de l'humilier ou de la violer, comme cela lui était arrivé dans son jeune temps. Mais le baron Alexandre de Humboldt était un homme différent, aimable et même affectueux avec les Noirs. Pour être différent, il l'était : il écrivait jusqu'à des heures indues, elle pouvait entendre la plume gratter le papier tandis qu'elle somnolait dans la pièce des esclaves, au pied de l'escalier. M. Humboldt venait de sortir, à présent, une liasse de feuilles manuscrites sous le bras. Que pouvait-il bien fabriquer ?

– Ah, comme ça doit être bien de savoir lire ! C'est ce que je me dis, moi qui ne connais rien à rien, s'exclama-t-elle, se sachant seule, et elle se disposa à balayer le vestibule, avant de monter au deuxième étage mettre de l'ordre dans la chambre du baron.

Mamá Inés passa sa journée à travailler, comme elle l'avait toujours fait depuis sa naissance. Elle lavait, cuisinait, cousait, rangeait les affaires du baron et de ses hôtes, portait des messages d'une famille à l'autre. À la fin de l'après-midi, elle était exténuée, elle avait les chevilles enflées, des ampoules plein les doigts, les talons en feu, la plante des pieds calleuse et dure comme une carapace de tortue. Dans son refuge, elle se fit du café dans une passoire en toile de jute.

Elle s'étonna quand elle entendit des doigts effleurer la porte. Elle ouvrit, la tasse fumante entre les mains. Devant elle, le baron Humboldt souriait. D'un geste, il lui demanda s'il pouvait entrer. Elle s'effaça, et il dut se baisser, car le plafond était trop bas pour lui.

– Quelle odeur délicieuse, ça sent le bon café.

– Je viens de le faire.

Elle lui en proposa, et il accepta de bon cœur.

– Vous savez, aujourd'hui, c'est le plus beau jour de ma vie : je viens d'achever le recensement des habitants de l'île. D'ici peu, je pourrai rentrer en Allemagne.

– Je ne comprends rien à ce que vous dites ; mais si ça vous rend heureux, je suis contente...

Le baron Humboldt éclata de rire. Elle le fit taire de ses yeux jaunes soudain apeurés.

– Il ne faudrait pas que l'on apprenne que vous me rendez visite...

– Ah, Mamá Inés, comme vous allez me manquer. Vous m'avez choyé comme un fils.

La vieille femme baissa ses yeux rougis.

– C'est toujours injuste, la vie. Vous savez qui je suis, et moi je ne sais même pas qui vous êtes.

– Je suis un Allemand fou. Fou de vos petits plats, mais surtout de votre café.

L'homme tenta de la soulever, mais tous les deux heurtèrent les poutres basses, et ils rirent.

– Oui, j'en sais long sur vous, beaucoup plus que vous ne l'imaginez. Écoutez un peu :

Ah, Mamá Inés, ah, Mamá Inés,
Nous les Noirs nous buvons tous du café[1]*...*

Quand elle sourit, son visage ressembla à un bout de torchon de cuisine pétri dans une main.

Deux semaines plus tard, le baron Humboldt rentra dans son pays. Mamá Inés regretta ses marques de tendresse. Une longue période devait encore s'écouler avant que l'illustre savant ne publie son *Essai politique sur l'île de Cuba.*

Le *son* consacré à Mamá Inès allait devenir célèbre bien des années plus tard.

1. *Mamá Inés,* célèbre chanson du Sexteto Habanero né dans les années 20. *(N.d.T.)*

Le lord abakwa

Même la grande Lydia Cabrera, écrivain et anthropologue, n'a pas réussi à découvrir la date de sa naissance et de sa mort. Certains affirment qu'il est décédé en 1889, au 71, rue de la Cruz Verde, à Guanabacoa. D'autres soutiennent mordicus qu'il est mort en 1872, mais on retrouve encore sa trace vers cette date dans le quartier de Regla. Une chose est sûre, il est enterré dans le cimetière de Guanabacoa, un faubourg proche de La Havane. Il s'appelait Andrés Facundo Cristo de Dolores, alias Andrés Petit ou Andrés Kimbisa. Kimbisa signifie « le sorcier qui utilise les pouvoirs des arbres », et c'est aussi le nom que l'on donne aux fidèles de la confrérie du Christ du Bon Voyage.

Devant Andrés Petit, les femmes avaient l'eau à la bouche. Mulâtre à la peau claire, aux yeux verts sous les épais sourcils bien dessinés d'un front dégagé, il avait un nez aquilin, une bouche charnue, un menton parfait et décidé. Il était grand, pour l'époque, et d'un charme palpable. On le prétend né à La Havane, ou bien à Guanabacoa. Ce qui est sûr, c'est qu'il est né sous la protection d'un couvent. Métis membre du tiers ordre, il obtint le niveau d'initiation le plus élevé dans la société secrète des Noirs abakwa, il fut *Indiobón,* c'est-à-dire chef principal.

Ses grandes mains vigoureuses entrèrent dans la légende car, en les plaçant sur un corps à l'endroit d'une inflammation, il apaisait les douleurs et les crampes. Il ne faisait aucun doute qu'Andrés Petit était doté de pouvoirs extraordinaires. Il transformait l'eau en vin ou en lait. Il pouvait allumer ou éteindre le soleil quand il le désirait. Et il soulevait des pièces d'argent, appelées les *pesos machos,* avec son sexe lisse en érection.

Il aimait à se promener dans les rues de la Vieille Havane et de Guanabacoa en égrenant un très long chapelet d'or et de voyantes perles nacrées. On le dit d'une culture impressionnante et il semble avoir été « le premier homme de couleur » à occuper un poste à la mairie de La Havane. Il pouvait fréquenter des Blancs de haut rang. Son père, un Français, avait veillé à son éducation. Il lisait le grec et le latin. Il côtoyait l'aristocratie et on l'appelait « le gentilhomme de couleur ».

Homme élégant, il portait toujours une veste noire sur un pantalon blanc. Tous s'accordaient à reconnaître la douceur de son regard. Il utilisait une canne et marchait pieds nus dans ses sandales. Dans les années précédant sa mort, on le vit cependant aller déchaussé demander l'aumône pour les pauvres. Telle était la mission dont Dieu l'avait chargé. Il offrait ensuite aux moines de l'ordre de saint François le fruit de sa quête.

Ses pieds étaient dépositaires d'une grande partie de son pouvoir. Et l'une des raisons pour lesquelles il marchait nu-pieds était que son amulette – ou *prenda* – l'obligeait à fouler le sol de sa chair pour augmenter ses pouvoirs magiques. Andrés Petit était un grand sorcier, on l'appelait le « saint homme ». Bien des fois, il obtint ce qu'il voulait par la simple puissance surnaturelle de ses paroles. Aussi l'appelait-on également « Dieu sur terre », à cause de la force de son verbe. Il ne tirait aucune gloire de ces éloges, au contraire, il les écoutait timidement pour les repousser d'un geste poli.

Les humbles admiraient sa solidarité envers les pauvres. Il était le justicier des mendiants. Et on raconte que les riches étaient fascinés par son ironie, et la voix posée de laquelle il annonçait ses prédictions. Il découvrait l'avenir à l'aide d'une baguette qu'il remuait dans un verre d'eau. La baguette se terminait par des franges de cuir élimées par l'usage. Il soignait ceux qui étaient tombés malades à la suite d'un mauvais sort. Il affrontait les morts et les apaisait en dialecte africain ou en latin, car il ne rejeta jamais aucune voie ou pratique religieuse. Il dominait tous les esprits rebelles qui se mettaient en travers de son chemin par des prières et de l'eau bénite. Il pouvait faire sursauter les gens de panique s'il les piquait. Ou bien paralyser n'importe qui de la pointe de sa canne. Une fois, il avait figé sur place un mécréant, pour lui rendre aussitôt l'usage de ses jambes.

N'oublions pas que l'esclavage était encore en vigueur, et que les rares Noirs libres étaient toujours considérés comme une race inférieure. Andrés Petit était le grand chef de la Société secrète des hommes, appelée Abakwa, où les Blancs devaient accepter les

Noirs comme leurs frères. Cette idée fut introduite par Petit, précurseur de l'abolitionnisme, même si de nombreux Noirs de son temps l'accusèrent de trahison pour avoir accepté de fraterniser avec les Blancs. Quoi qu'il en soit, Andrés Petit, le lord abakwa, racheta la liberté d'un bon nombre d'esclaves grâce à l'argent que les Blancs lui donnaient quand il mendiait pour accomplir sa mission divine.

Emilia, Cirilo, Cecilia et Eugène

Dès sa prime jeunesse, Emilia Casanova fut considérée au sein du petit monde politique havanais comme une femme au caractère bien trempé, en raison de son tempérament passionné et de son militantisme au profit de la propagande révolutionnaire. Avec sa chevelure de lionne, elle portait la bonne parole d'un parti à l'autre, collectait des fonds, vendait des billets de tombola destinés au soutien de la cause. Pas une minute elle ne cessait de penser et d'agir en faveur de la liberté de sa patrie. Pour calmer ses ardeurs, ses parents durent l'envoyer aux États-Unis. Elle arriva à New York durant l'été 1852. De là, elle se rendit aux chutes du Niagara, à Philadelphie, à Albany, à Saratoga... Où qu'elle se trouvât, elle rencontrait des Cubains exilés en proie aux humiliations, à la nostalgie, aux privations et à la solitude. Elle leur communiquait avec fougue sa foi absolue en la victoire de l'idéal révolutionnaire. Lien entre La Havane et l'exil, elle se dévoue entièrement à sa mission, en transportant par exemple des documents compromettants.

Les Casanova s'installèrent à Philadelphie, où ils reprirent leurs relations avec Cirilo Villaverde, le journaliste et écrivain que la critique littéraire a injustement réduit l'œuvre à un tableau emprunt de « couleur locale ». Ses fiançailles avec Emilia eurent lieu sans plus tarder, et cette brève période culmina heureusement devant l'autel. Les parents de la jeune Casanova étaient fortunés et, suivant les recommandations de leur fille, qui ne perdait pas le nord, ils transférèrent en cette période troublée leurs richesses sur le sol américain.

Emilia Casanova avait osé écrire à Garibaldi, qui lui répondit immédiatement :

> *Caprena, le 31 janvier 1870 :*
> *Chère Madame,*
> *Je suis de tout cœur avec vous depuis le début de votre glorieuse révolution. L'Espagne n'est pas la seule à se battre pour la liberté chez elle tout en voulant rendre les autres peuples esclaves. Mais je serai toujours du côté des opprimés, que les oppresseurs soient des rois ou des nations.*
> *Bien à vous,*
> *G. Garibaldi.*

Par « glorieuse révolution », l'Italien faisait référence au soulèvement de 1868, mené par Carlos Manuel de Céspedes quand il lança le cri de la libération de ses esclaves à Yara. Apprenant l'événement, Emilia s'était exclamée :

– Voilà la révolution qui arrive, hourra !

Folle de joie, elle avait embrassé et serré dans ses bras ses parents, son époux et ses frères. Villaverde l'observait, entre l'étonnement et la joie :

– Nous sommes enfin libres ! Vive l'indépendance !

L'imposante brune à la peau bistre et aux yeux en amande ne cessait de battre des mains.

Son enthousiasme ne connaissait pas de bornes, et elle envoya également une missive à Victor Hugo. Le grand écrivain s'empressa de lui répondre. Son aura n'en fut que plus grande, et sans relâche elle continua de demander au monde de venir en aide à Cuba, sa terre esclave. Les journaux commencèrent par se moquer, en la baptisant « la Mme Roland des Tropiques », puis vint le temps de la haine et de la méfiance envers son action. Emilia ne se laissa pas intimider, et elle persista à soutenir les pauvres, sans délaisser pour autant ses proches, qu'elle entourait de son amour. Le premier objet de celui-ci était son Cirilo adoré, qu'elle obligea à terminer à Philadelphie le roman *Cecilia Valdés*, l'œuvre emblématique des fondements de la nation cubaine.

En 1839, Cirilo Villaverde avait publié la première partie de son roman. Durant quarante ans, il ne cessa de corriger et de réécrire son texte, duquel il lui arriva de s'éloigner pour se consacrer à d'autres manuscrits, ou à sa grande œuvre politique. La publication définitive de *Cecilia Valdés* vit enfin le jour en 1882.

Or, justement, en 1839, Eugène Sue se rendit aux Antilles, où il séjourna un long moment. Il est bien possible qu'il ait eu vent du roman de Cirilo Villaverde, dont les chapitres paraissaient sous forme de feuilleton dans le journal *El Espejo*. *Les Mystères de Paris*, le monument de Sue, fut publié entre le 19 juin 1842 et le 15 octobre 1843 dans *Le Journal des débats*, et le chapitre sept de la deuxième partie, où l'on peut découvrir l'*Histoire de David et de Cecily*, mérite attention. En effet, Cecily n'est autre qu'une métisse de dix-sept ans qui possède toutes sortes de charmes physiques, à l'image de la Cecilia Valdés de Cirilo Villaverde. Sue a vraisemblablement été influencé par Villaverde, ou du moins il a dû lui aussi tomber amoureux d'une mulâtresse, que Gustave Doré a dessinée comme une reine de beauté aux pieds nus, arborant des décolletés vertigineux.

– Elle est réellement belle, d'une beauté irréelle..., murmura Cirilo à son ami Eugène, assis à côté de lui dans la calèche qui suivait celle des femmes, où papotaient Emilia Casanova et Cecilia Valdés.

De temps en temps, Cecilia se retournait, et son visage toujours radieux souriait aux hommes, découvrant des dents parfaites et une joie de vivre qui inspiraient le respect et la crainte.

– Ta femme n'est pas en reste. Ce qui me fascine le plus chez elle, c'est de la voir prendre à cœur la chose politique avec une telle passion. Et non seulement celle de son pays, mais aussi celle du Vieux Continent.

– Elle m'a donné plus d'une fois la force d'écrire. Elle est tout simplement merveilleuse.

Emilia se tourna alors vers eux et remua les lèvres, pour prononcer une phrase muette que tous deux comprirent parfaitement grâce à sa mimique appliquée :

– *Viva Cuba libre !*

C'était en 1858, et les Villaverde étaient revenus à Cuba tels deux fantômes, persuadés que leur séjour serait provisoire. Ils ne purent d'ailleurs y rester que jusqu'en 1860. Cecilia avait été amenée de Floride par son nouvel ami Sue. Et le Français s'était senti attiré par cette Havane élégante et querelleuse. La rencontre des deux écrivains eut lieu par hasard sur la promenade de la Alameda de Paula. À dire vrai, tandis que Cecilia fixait Cirilo de son regard sensuel, Emilia avait passé sa langue sur ses lèvres humides dès qu'elle était parvenue à attirer l'attention d'Eugène, ce qui ne s'était pas fait attendre.

– Cet homme t'observe, et tu lui réponds, lui reprocha Cirilo.

– La poupée qui l'accompagne te regarde bien langoureusement, toi aussi, et tu ne restes pas de marbre..., répliqua Emilia.

Les deux femmes se rapprochèrent l'une de l'autre, en laissant les hommes cois, pris au dépourvu.

– Souhaitez-vous nous accompagner à une promenade en calèche, avec votre mari ? proposa la Casanova, en admiration devant l'opulente beauté de l'autre.

– Ce n'est pas mon mari, mais un ami. C'est très aimable à vous, mais M. Sue et moi sommes aussi venus en calèche.

– Qu'à cela ne tienne ! Préférez-vous que nous marchions un peu pour faire plus ample connaissance ?

– Avec plaisir. Nous pourrions nous tutoyer. Croyez-vous que votre mari sera d'accord ?

Emilia Casanova lui sourit :

– Mon époux est écrivain, et il t'a inventée, même s'il est vrai qu'il a connu il y a des années une jeune fille comme toi. Il a rêvé de toi toute sa vie, ou du moins, de quelqu'un qui te ressemble. Je n'ai nul besoin de beaucoup t'observer pour savoir que tu es le portrait vivant de sa muse. Je t'envie, mais sans malice, j'aurais aimé être comme tu es. Je m'intéresse à la politique, qui n'est pas une affaire de femmes. Penser m'ôte le charme de la fascination et du mystère.

Ils prirent la rue Luz, vers la rue Inquisidor. Eugène reprit :

– Et dire que me voici devant le grand Cirilo Villaverde ! Je vous admire profondément, voyez-vous, vous êtes mon idole. Grâce à votre Cecilia, je me suis mis en quête d'une beauté semblable. Je l'ai trouvée, et elle s'appelle aussi Cecilia.

– C'est elle. Elle n'est autre que ma Cecilia. Mais elle ne se souvient plus de moi, ou elle ne veut pas se souvenir, affirma Villaverde. Quand je ne cessais de la poursuivre, c'était une adolescente devenant une jeune fille. Elle a pris peur de moi.

– Il ne m'est pas inconnu..., murmura Cecilia à Emilia, tandis qu'elles avançaient sur leurs talons.

– Cirilo ?

– Oui, madame. Quand j'étais petite, il m'épiait aux alentours de la Loma del Angel[1], et je l'ai fui de peur qu'il ne me tue. Et voilà que maintenant nous nous rencontrons...

– As-tu entendu, cher époux ? Cecilia raconte que vous vous connaissez depuis son enfance, il n'y a guère... Tu dois être cette petite dont je t'ai parlé... Plutôt que de vouloir ta mort, il t'a immortalisée...

L'homme tressaillit et s'empourpra, tandis que les autres riaient de son silence embarrassé. Ils décidèrent ensuite de continuer leur promenade

1. *Cecilia Valdés*, le roman de Cirilo Villaverde, a pour sous-titre *La Loma del Angel. (N.d.T.)*

en calèche. Les femmes voulurent aller devant, et ils les escortèrent.

La ville vibrait, humide comme un lézard, et les sabots des chevaux, résonnant sur le pavé, éclaboussaient les passants. Le matin, après une averse annonçant un cyclone, le temps avait subitement changé et un soleil radieux était apparu ; l'humidité persistait cependant, car les flaques d'eau n'avaient commencé à s'évaporer que depuis peu.

Emilia regardait l'étranger du coin de l'œil, et elle rêvait de se donner à lui. Un autre immense écrivain dans sa vie, quelle coïncidence ! se disait-elle, euphorique. Cecilia, quant à elle, éprouvait pour la première fois le désir de percer les secrets de son ancien amoureux, et rien n'était plus approprié qu'une *garçonnière** où, sur un lit moelleux, couronné d'un dais de tulle nacré, il lui révélerait l'énigme de sa ferveur envers elle. Sue ne cachait pas sa fascination pour Emilia, que n'aurait-il donné pour avoir à ses côtés une telle forteresse qui le soutiendrait dans son œuvre. Pour Villaverde, retrouver en chair et en os Cecilia, qu'il avait crue disparue à jamais, tenait du rêve.

À leur arrivée au bord de la mer, il faisait nuit noire. Les cochers s'endormirent dans leurs calèches. Tous les quatre se déchaussèrent et marchèrent le long de la frange d'écume argentée. L'humidité et la caresse de la brise faisaient des ravages, attisant le désir de leurs corps. Lorsqu'ils furent entrés dans un bosquet, Sue en profita pour s'avancer et prendre la main d'Emilia. Elle l'attira aussitôt vers un épais buisson. Pendant ce temps, Cecilia s'arrêta en attendant que Cirilo heurte ses hanches au milieu des ténèbres. L'homme la frôla comme elle l'avait voulu, et il crut s'évanouir d'émotion. Il respira profondément, et, rassemblant ses forces, il la saisit par sa taille fine, et ils s'allongèrent à même le sable mêlé de terre couverte d'herbes hérissées. Tous quatre folâtrèrent et s'aimèrent avec ardeur. Ils retournèrent à leurs calèches bien après minuit. Emilia et Cirilo montèrent dans la première, et Eugène et Cecilia dans la seconde.

Le lendemain matin, ils prirent le petit déjeuner en toute amitié dans le modeste hôtel de Sue. Puis l'écrivain français se sépara des autres, non sans mélancolie. Il devait regagner sa terre natale l'après-midi même. Ils s'embrassèrent et se dirent adieu en projetant de se rencontrer à nouveau en quelque point du monde. Cecilia se mit à courir par les ruelles, revivant son enfance de garnement, le cœur blessé une fois de plus, car tel était son destin. Celui d'une amoureuse dépitée rasant les murs de l'arc de Belén. Cirilo et Emilia retournèrent bientôt aux États-Unis. Plus jamais aucun d'eux ne retrouva la magie vécue lors de cette nuit tiède et mouillée, sur cette plage des faubourgs propice à l'aventure. L'histoire racontée ici a été rêvée par la *voyeuse** qui en fait le récit, plus que vécue par ses insignes protagonistes.

L'observateur invisible

Manuel de Zequeira y Arango naquit à La Havane en 1764. Au séminaire de San Carlos y San Ambrosio, il devint poète et militaire. Plus poète que militaire, par bonheur pour la postérité. Ce fut un grand créateur de sonnets. *La ilusión, La ronda* sont parmi ses poèmes les plus connus, mais son œuvre la plus célèbre demeure son ode à l'ananas, *A la piña.* Dans son désir de se cacher, il usa de tous les pseudonymes possibles, dont celui de l'Observateur de La Havane. Très vite, la folie fit de cet immense poète l'une des personnalités les plus pittoresques de la ville.

Zequeira avait un chapeau, et il prétendait devenir invisible quand il le portait. Le poète avait ainsi le pouvoir de percer à jour tout le monde, tous les imbéciles de bas étage. Car il se disait dans son aveuglement qu'il devait se protéger des envieux. Il se rendait compte que les autres se moquaient de lui en le traitant de paranoïaque. Mais rien n'altérait sa soif de traverser les paysages, en passe-muraille nébuleux qu'il était.

Par une matinée ensoleillée, il sortit en direction de Puentes Grandes, et la première chose qu'il fit, bien entendu, fut de mettre son fameux chapeau. Il se crut alors transformé en âme immatérielle. Il pouvait se présenter partout avec ce que son essence avait de plus précieux, son esprit. Et il se sentit ainsi fort content, et même assez heureux. Les passants le reconnurent immédiatement, c'est encore le fou qui se croit invisible, chuchotaient-ils entre eux. Et ils eurent l'idée de le heurter pour que Zequeira se persuade enfin que tout le monde le voyait parfaitement.

– Ils se cognent contre moi parce qu'ils ne peuvent pas me voir.

Il souriait, au comble de l'extase.

Et il continua d'avancer en sifflant une mélodie au milieu des bousculades des moqueurs. Il s'arrêta quelques instants pour observer un ananas démesuré à l'étalage du marchand de primeurs. L'ananas était son fruit préféré, il fit l'éloge de sa forme. Il pensa qu'il n'était rien de meilleur au monde que de se sentir transparent en suçant une tranche d'ananas.

Au loin, il aperçut une bande de voyous qui jouaient au foot avec un aveugle. L'invalide avait buté sur une pierre énorme, placée sur son chemin pour le faire tomber la tête la première. Quand il fut à terre, couvert de poussière, la tête en sang et une dent en moins, ils en profitèrent pour l'entraîner à coups de pieds vers un bourbier proche, et le plonger dans la fange.

Un tel spectacle lui étant insupportable, le poète prit la défense de l'aveugle.

– Voulez-vous vous pousser ! Laissez-le tranquille ! s'écria-t-il, le chapeau toujours sur la tête.

Les canailles l'avaient reconnu. En se faisant des clins d'œil, ils décidèrent de changer de souffre-douleur.

– Tu as entendu quelqu'un parler ? demanda le plus grand d'entre eux.

– Oui, bien sûr, mais c'est une voix sans propriétaire, je ne vois personne, répondit l'une des petites frappes entre les rires.

Le poète se souvint qu'il devait se découvrir la tête s'il voulait être vu. Et il enleva son chapeau, retroussa les manches de sa chemise et fit un geste des poings montrant qu'il était prêt à en découdre.

– Allez, gredins, venez, osez m'affronter et laissez ce pauvre malheureux en paix !

– Oooh, je n'y crois pas, un revenant, un fantôme ! Au secours ! Vous n'êtes pas morts de trouille, les gars ?

Le chef de la bande sautillait comme un clown autour de Zequeira.

Et comme l'un d'eux aperçut au loin un comparse qu'ils n'avaient pas vu depuis un moment, ils s'éloignèrent dans sa direction, en laissant Zequeira tête à tête avec l'aveugle. Juste au moment où le poète se remit le chapeau sur le crâne, l'aveugle parla :

– Je tiens à vous remercier de votre comportement si courageux devant ces sauvageons, vous les avez empêchés de me faire plus de mal. Excusez-moi, mais vous l'aurez sans doute remarqué, je ne vois rien...

– Je sais bien que vous ne voyez rien, je deviens invisible quand je mets mon chapeau.

– Ah, mon brave, je suis navré pour vous. Il y a des maladies terribles de nos jours, et ça ne risque pas de s'arranger, avec tous ces bateaux qui arrivent bourrés de mouches et de bactéries. Mais moi, c'est de naissance. J'étais aveugle avant même de naître. Et vous ?

– Moi quoi ? demanda Zequeira abasourdi.

– Cette invisibilité dont vous souffrez, c'est de naissance ou vous l'avez attrapée ? s'enquit l'autre avec le plus grand sérieux.

Zequeira sourit, il se découvrit et entoura de son bras les épaules de l'aveugle.

– Moi aussi, c'est de naissance. C'est un mal qui est aussi un bien incurable. Suivez-moi, je vous invite à admirer un ananas.

– Je vous dis que je suis aveugle ! Comment voulez-vous que j'admire un ananas ?

– En le mangeant, l'ami, en le mangeant.

Du sein fertile de la maternelle Vesta
fièrement se dresse l'ananas altier
dans toute la splendeur de ses mille atours...

La voix du poète murmurait tandis que l'aveugle léchait une tranche juteuse que la marchande lui avait donnée.

Les odorants sucs des fleurs,
les essences, les baumes d'Arabie,
et tous les arômes sont autant de trésors,
par la nature enfouis
au plus profond de sa fraîcheur.

Juan Clemente Zenea et Adah Menken

La tragédie eut lieu au matin fatal du 25 août 1871. À sept heures, un pays entier fusilla le poète Juan Clemente Zenea. Et sa riposte, depuis l'au-delà, fut de devenir le mystère le plus aigu, intense et tourmenté de l'identité cubaine.

Accusé du délit de trahison par les Espagnols, et tout aussi répudié par les Cubains, l'auteur de *Fidelia* et du *Journal d'un martyr* attendait un miracle dans la forteresse où il croupissait. Il ne pouvait rien escompter d'autre. Il l'espérait de toutes ses forces, car la certitude d'une mort prochaine ne nous laisse d'autre consolation. Au cours de ses dernières heures, il voulait s'éclaircir l'esprit, le libérer de cette injuste fin inéluctable, et il appelait doucement pour qu'elle apparaisse : Adah Menken, Adah Menken... Son amour d'adolescent, probablement son unique amour.

Ses appels restaient sans réponse, d'où son immense tourment, le vide le dévorant chaque jour davantage. Il lui était interdit de lire, d'écrire et de parler. Un tel châtiment était épouvantable, car il le privait cruellement de toute échappatoire, faisant de lui un prisonnier politique, entouré d'impitoyables ennemis. Seul le gouverneur de la forteresse venait lui rendre de courtes visites réglementaires ; il entendait de loin le poète crier :

– Un livre, un livre, monsieur le gouverneur[1] !

On n'accéda jamais à sa requête, il était condamné à l'isolement total. Seuls les pas de ceux qui traversaient la cour pour aller voir les autres prisonniers parvenaient aux oreilles de Zenea comme une illusion lointaine. En quelques jours, il vieillit et se mit à écrire ce qu'il pouvait, comme il pouvait. Le consul des États-Unis parvint à récupérer ces petits bouts de papier écrits tout petit, qu'il remit plus tard à la veuve du poète, à New York.

Ses yeux fixaient un point, le trou noir d'où jaillit la balle pour lui déchirer la chair, lui mettre le cœur en pièces. Le trajet de la balle jusqu'à son corps fut court, et pourtant il laissa à Zenea le temps d'évoquer les promenades avec la jeune fille de quinze ans, le long de la Cortina de Valdés, alors qu'il en avait dix-huit. Elle récitait des vers en anglais et en français, ils formaient tous les deux un duo admirable, et les rumeurs allaient bon train dans le voisinage sur ces deux adolescents si épris l'un de l'autre. Le sifflement de la balle se confondit dans sa mémoire avec la musique qu'Adah Menken lui jouait à la flûte.

Elle venait de Louisiane quand elle arriva à La Havane avec sa sœur, sa partenaire dans le duo

1. Enrique Piñeyro, *Vida y escritos de Juan Clemente Zenea*, Paris, Garnier, 1901.

les Theodore Sisters. C'était une jolie contorsionniste, elle faisait des choses incroyables sur le dos d'un cheval lancé à toute vitesse, mais elle était aussi douée pour le chant, la comédie, la poésie... Elle publia de la prose et des poèmes dans des quotidiens de la Nouvelle-Orléans et de Cincinnati. À vingt et un ans, elle avait terminé un recueil poétique intitulé *Memorias.* Elle signa ensuite un autre volume intitulé *Indígena,* puis un troisième qui porte le titre du poème de Zenea, *Infelicia.* Belle et intelligente, elle était la muse idéale pour un poète. Mais ce n'était pas une muse passive, loin de là. Zenea lui rendait visite en coulisses, et ils vécurent une relation intime qui les marqua tous deux d'une empreinte profonde.

Ses lèvres fraîches frôlèrent les siennes pendant un concert militaire sur la place d'Armes. Oui, Adah Menken osait offrir ce genre de spectacle, non par provocation, encore moins par vulgarité, mais plutôt par sincérité. Elle devint un personnage aimé et recherché, sa grâce et l'expressivité de son visage étaient en harmonie avec les arbres, toute sa personne faisait naître ingénument l'émotion. Et on l'aimait tant qu'on l'appela la reine de la Place. Le poète se dit qu'il n'avait jamais aimé quiconque comme cette jeune fille au teint mat, aux soyeux cheveux de jais, aux yeux verts énigmatiques.

La balle était à mi-chemin entre le canon du fusil et son cœur. Adah partit, mais ils se promirent de se revoir. Elle fuyait l'île, devenue sa patrie, vers les États-Unis, mais il ressentait déjà le plaisir d'enlacer à nouveau sa taille, de sentir le parfum naturel de son cou, et de presser sa bouche contre la sienne. Adah Menken, Adah Menken...

Après de longs, lents jours, incertains...
Un ami fait semblant de contempler les grilles
Et il me dit que toi, pleurant de tristesse,
Ton souvenir, las, à la prison tu m'envoies.

Il restait moins de la moitié du chemin avant que la balle n'explose en lui, et il désirait que sa mort se confonde avec celle de sa belle. Il se trouvait à Mexico quand on la lui annonça, au mois d'août 1868. Adah devait avoir trente-trois ans. Elle mourut d'une pneumonie. Elle se consumait, épuisée par les répétitions de cette pièce avec laquelle elle espérait obtenir un nouveau triomphe à Paris. Et il serra les poings, regrettant ses doigts qui parcouraient la ligne de vie dans la paume de sa main.

Du vert des vagues au repos
Était le vert pur de ses yeux
Quand le bois du rivage
Colore ses frondaisons
D'ombres émeraude.

Le projectile entra en lui, sombre, comme un parapluie fermé qui se serait ouvert à l'intérieur. La douleur de la mort s'installa juste à l'endroit où il avait placé le visage d'Adah Menken. Il entendit ensuite le galop du cheval, ses sabots éperdus soulevant des nuages de poussière. Adah Menken s'approchait, nue sur son destrier. Adah Menken, Adah Menken... Chevauchant cette balle, essayant de la dominer, agrippant de ses ongles la crinière de son cheval, pour l'arrêter dans sa course mortelle. La balle se fit pur-sang monté par sa bien-aimée, et elle se débattait, souffrant de ne pouvoir dévier sa trajectoire. Il cligna des yeux ; à trente-neuf ans, il avait tout d'un vieillard. Il se remémora tout en un temps cruellement court par rapport à celui qu'il lui avait fallu pour écrire ces vers :

Et je sais aussi qu'avec les miennes grandissent
Les amertumes de tes peines profondes,
Et qu'en ce fatal, terrible instant
Du sang de tes veines
Tu achèterais, heureuse et généreuse,
La liberté de ton premier amant.

Juana Borrero : la vierge triste

Une épaisse chevelure châtain foncé, le front haut, les sourcils fournis au dessin parfait, de grands yeux bruns, le visage ovale. Une bouche sensuelle, la lèvre inférieure plus charnue, le menton volontaire. C'est ainsi que je vois Juana Borrero, la petite fille qui écrivit des poèmes d'amour à l'âge de neuf ans, et des vers érotiques trois ans plus tard. Les critiques littéraires et les biographes situent la naissance de la poétesse au numéro 15 de la rue Santos-Suárez, dans le quartier de Jesús del Monte. Un jeudi 17 mai 1877. Elle ne vécut que dix-neuf printemps, mais, malgré son extrême brièveté, son existence n'en fut pas moins intense. Dès l'enfance, l'auteur des *Versos infantiles* fut sensible au désir comme une femme.

Fille d'Esteban Borrero, poète et journaliste, directeur du quotidien *La Habana Elegante*, la petite fille envoya sous un pseudonyme un texte érotique afin qu'il soit publié. Tout le monde s'interrogeait sur l'identité de l'inconnue, la curiosité malsaine et les spéculations allaient bon train. Personne ne pouvait soupçonner qu'il était sorti de la tête de Juana Borrero, qui n'avait alors que douze ans.

Le seul qui le devina fut Julián del Casal, « le plus japonais des poètes cubains », selon les jaloux qui lui reprochaient son goût excessif pour les arts orientaux, lié à l'influence des symbolistes français. N'oublions pas qu'il existe une correspondance entre Casal et Gustave Moreau. Au moment même où il lut le sonnet, Julián sut qui en était l'auteur. Tout simplement l'une des filles de son meilleur ami, à laquelle il avait lui-même offert une petite dague à manche de nacre.

Julián et Juana se rencontrèrent pour la première fois en janvier 1891. Pour elle, ce fut le coup de foudre. Et lui se sentit subjugué par le mystère de cet être passionné dont le romantisme n'avait d'égal que le sien. Julián se vit en elle comme dans un miroir, son double féminin, et il l'admira davantage qu'il ne l'aima. Il la vénéra comme une vierge. Il écrivit probablement le poème *La virgen triste* en s'inspirant de la fragilité qu'il attribuait à Juana, mais qui n'était qu'élégance littéraire. Casal ne remarqua pas, ou ne voulut pas reconnaître, l'impulsion charnelle qui bouillonnait dans les veines de l'adolescente.

Il pleuvait des cordes à Puentes Grandes. En voyant le premier soleil du matin disparaître sous un lourd nuage d'octobre, Juana avait perdu tout espoir de recevoir une visite de Casal. Elle l'avait prié de venir, mort ou vif. Elle avait prévu de le recevoir dans le salon et de le charmer pour l'amener à la suivre jusque dans sa chambre où elle lui montrerait de nouveaux vers, qu'elle avait écrits la nuit précédente. Couchés sur le lit, serrés l'un contre l'autre, ils se couvriraient du drap des pieds à la tête. Elle réciterait pour lui à voix basse, l'embrasserait sur les lèvres, lui avouerait son amour. Mais en observant le rideau de pluie, elle se dit que rien de ce qu'elle avait imaginé n'allait se produire, Casal ne viendrait jamais sous une tempête aussi démentielle.

Juana était encore perdue dans ses rêveries quand elle entendit les roues de bois d'un carrosse sur les pavés mouillés. Elle courut à la fenêtre, il était là ! Lui, son exquis et divin amour, pensa-t-elle. Julián del Casal gravit lentement les quelques marches de l'escalier principal et sourit, se sentant observé tandis qu'il secouait sa cape de velours violet. Juana se précipita à l'extérieur pour l'accueillir, sans se soucier de la pluie. Sa couronne de cheveux mouillés l'auréolait de candeur, la rendant plus enfantine encore.

Elle l'aida à se débarrasser de sa cape alourdie par la pluie. Enserrant la taille de l'homme, elle l'attira contre son corps humide.

– Viens, Julián, j'ai du nouveau à te montrer ! Tu vas en rester bouche bée...

– Je suis déjà bouche bée, Juana, devant ta beauté, et la tendresse de ton accueil. Où est donc ton père ? Je suis venu pour le voir, je dois le consulter sur une affaire très importante.

– Mon père n'est pas encore arrivé, aucune importance, je sais que tu ne veux pas me le dire, mais que tu es venu me voir, moi. Je le lis dans tes yeux. Ma mère va venir tout de suite, elle est en train de te préparer un délicieux déjeuner. Papa devrait arriver d'ici une heure... Mais allez, suis-moi, n'aie pas peur...

Julián del Casal fut assailli par un pressentiment ; il valait mieux ne pas la suivre et attendre son ami Esteban Borrero dans le salon, fuir tout rapprochement avec l'insinuante jeune fille.

– Pourquoi résistes-tu ? De quoi as-tu peur ?

Elle l'attirait à nouveau vers un couloir frais, illuminé par les rayons du soleil de la cour. Le temps s'était levé, seule une faible bruine tombait, tamisée par un halo de lumière.

Il ne voulait pas non plus la blesser. Il reconnaissait qu'elle lui vouait un amour intense, démesuré, dont elle le poursuivait sans relâche. Il pensait cependant que ces sentiments propres au premier émoi amoureux seraient éphémères. Il ne savait que penser, et ne parvenait pas à s'expliquer ce qui se passait à chaque fois qu'il se retrouvait face à elle. C'était assurément la femme qui l'attirait le plus. Mais il ne savait pas avec certitude s'il pouvait donner un autre nom à l'amitié qu'il lui portait, fondée sur l'admiration de son intelligence hors pair.

Elle l'avait conduit jusqu'à sa chambre. Le ciel du lit, paré d'un ondulant dais de gaze opaline, était ourlé d'une fine dentelle brodée de motifs floraux. Casal devina qu'ils étaient l'œuvre de la petite, car elle avait décoré des mêmes dessins les marges de plusieurs lettres qu'elle lui avait adressées. Maintenant, Juana l'appelait depuis les voilages transparents. Gêné, planté au milieu de la pièce, immobile et ne sachant que faire, il se trouva ridicule. Il avança de quelques pas, enivré par la voix de l'adolescente, et il osa s'asseoir à côté d'elle au bord du lit, mais Juana l'attira brusquement à ses lèvres. Il résista faiblement.

– Je t'aime ! Ne vois-tu pas que je t'aime ? Je

veux être ta fiancée ! Prends-moi, je veux être ta femme !

Juana commença à se déshabiller, elle dégrafa son corsage qu'elle tira d'un coup hors de sa jupe. Julián resta sans voix face à ces seins aux grands tétins ronds. Elle lui prit la tête entre les mains et la colla à sa poitrine de femme. Julián sentit le parfum laiteux de cette peau saine, et déposa un baiser à l'endroit où palpitait de façon effrénée le cœur de la jeune fille.

– Aime-moi, Julián ! Aime-moi maintenant !

Elle fit mine de continuer à se dévêtir. Il saisit ses mains entre les siennes, reprit ses esprits en la regardant profondément dans les yeux. Puis il baissa la tête, honteux, indécis.

– Allonge-toi à mes côtés, je dois t'avouer quelque chose...

Juana obéit et posa la tête sur le traversin à côté de son bien-aimé.

– Ma chère petite Juana, je t'aime, mais non comme tu le penses. Tu pourrais être ma fille...

– Peu importe, je connais des amis de mon père qui se sont mariés avec des filles de mon âge...

– Juana, je te considère comme... comme une sœur...

– En devenant ta femme, je peux aussi être ta sœur, ta meilleure amie, ta mère, tout ce que tu voudras...

– Pour cela, il faudrait... Oh, mon enfant, tu es si passionnée, si romantique ! Nous nous ressemblons tant ! Si jamais... Si j'étais né femme, j'aurais été comme toi, sans nul doute.

– Et si j'avais été un homme, je serais comme toi...

Pour toute réponse, Casal eut un rire discret.

– Joli compliment pour moi ! Ce que je veux te dire, Juana, et il faut que tu le comprennes, c'est que je ne peux aimer les femmes. En ce moment, je n'en aime qu'une, et c'est toi... Mais je peux t'aimer en t'admirant... Comprends-moi, la nature a voulu que je me sente attiré surtout par mon propre sexe.

– Tu es homosexuel ! Es-tu bien sûr de n'être pas plutôt attiré par les deux sexes ?

Il nia de la tête. Une larme coula du coin de l'œil de Juana jusqu'à sa tempe, et pénétra dans ses cheveux.

– Ce n'est pas possible... Et sinon, je m'en fiche. Je peux le supporter.

– Non, Juana, tu ne pourras pas le supporter. Tu es trop cérébrale et physique à la fois, tu as besoin d'un mari qui comble les désirs de ta chair.

– Julián, je t'en prie, faire l'amour avec moi ne doit pas être bien difficile. Suis-je à ce point répugnante ?

Le poète impatienté se prit le front à deux mains.

– Bon sang ! Tu ne comprends pas ce que je suis en train de te dire ? Je n'aime que les hommes ! Seigneur, je ne voulais pas être aussi cru ! Pardonne-moi, Juanita, je t'ai parlé comme une brute...

Le visage empourpré de rage, Juana glissa la main sous l'oreiller d'où elle sortit la dague qu'il lui avait offerte. Sans lui laisser la moindre chance de fuir, elle bascula sur lui et l'immobilisa en le serrant entre ses genoux, l'arme pointée vers ses testicules.

– Tu sais que je peux te castrer dans la seconde ! Tu seras à moi et à personne d'autre !

Tout d'abord apeuré, Julián partit d'un rire bruyant qui gonfla les veines de son cou, comme une prémice de l'éclat de rire qui devait le conduire à la mort. Il allait en effet mourir des années plus tard en riant à gorge déployée au cours d'un banquet.

– Laisse-moi, Juanita, ne fais pas la sotte. Ne vois-tu pas qu'ainsi tu ne réussis qu'à m'effrayer et à m'éloigner de toi ?

– Juanita, ma chérie ! Où es-tu donc passée ? Papa vient d'arriver, et le soleil est sorti, Casal ne va pas tarder ! cria la mère depuis le petit salon de l'entrée.

La lumière entrait à flots par la fenêtre. Les larmes montaient aux yeux du poète, qu'il n'avait plus bleus, mais rougis. Juana eut honte en se voyant torse nu, les cheveux en bataille, un poignard à la main ; elle était pitoyable. Elle saisit son corsage qu'elle enfila rapidement, rangea la dague à l'endroit même où elle l'avait prise, puis alla vers la porte, en reboutonnant son jabot de dentelle.

– Juana ! Viens me voir !

C'était la voix d'Esteban Borrero.

– J'arrive tout de suite, papa..., murmura-t-elle tandis qu'elle fermait la porte, non sans avoir jeté un œil sur Casal qui, extrêmement las, s'était glissé sous les draps.

Tout en avançant dans le couloir, elle remit de l'ordre dans son chignon, lissa ses cheveux et ses tempes. Quand elle fut face à son père, elle se jeta dans ses bras et pleura comme une petite fille qu'elle était.

– Que se passe-t-il, Juana ?

– Ah, papa, je n'ai pas prévenu maman, mais Casal est déjà arrivé depuis un bon moment... Il s'est senti mal, des nausées étranges, j'ai dû lui prêter ma chambre et mon lit pour qu'il puisse s'allonger et se reposer de son long voyage...

– Et c'est ce qui te met dans un tel état ? Ta mère ne se fâchera pas, tu as très bien fait... Viens voir, je veux te montrer un livre très intéressant.

Tous deux arrivèrent enlacés au salon, où les attendaient sur un plateau deux verres de limonade servis par la mère. Peu après, Esteban vit passer sa femme avec les bottes crottées du poète dans une main et un troisième verre, vide, dans l'autre. Elle s'arrêta dans l'embrasure d'une des portes, et dit de la pénombre du couloir :

– Notre ami se sent mieux ; je vais donner ces bottes à nettoyer. Pauvre garçon tourmenté, la limonade lui a fait du bien. Il va dormir un moment. Les émotions le paralysent, et il n'arrive pas à mettre de l'ordre dans ses pensées. Juanita, ma chérie, laisse notre cher homme tranquille. Ne le tracasse plus, pour l'amour de Dieu.

Antonio Maceo à l'hôtel Inglaterra

Chère Madame...

écrivit le général Antonio Maceo, avant de froisser le papier et d'essayer à nouveau : *Chère Madame...* Et il écrivit la lettre d'un trait. Il glissa la feuille dans une enveloppe ornée de pétales de rose qu'il rangea dans la poche de son uniforme. Il enfila ses bottes de cuir marron, s'habilla lentement, observant sa séduisante personne dans le miroir ovale. Il approcha son visage de la glace et coupa avec un soin méticuleux quelques poils qui dépassaient de ses narines, parfuma ses moustaches taillées à la française, peigna ses sourcils. Après avoir ajusté à ses hanches la cartouchière de son revolver, il quitta l'hôtel.

– Monsieur Maceo ! Monsieur Maceo ! appela le réceptionniste avant qu'il ne se mêle à la foule des passants.

Il se retourna avec élégance, revint sur ses pas et prit le message laissé à son intention. Il attendit que le réceptionniste retourne au comptoir de l'hôtel Inglaterra, puis il lut le contenu du pli en flânant dans cette artère havanaise appelée rue du Louvre, répétant l'aventure de la veille.

Il poussa un profond soupir et rangea le mot dans la poche où il avait déjà mis sa lettre. Il observa les passants, fier de visiter la capitale. Il pensa que les Havanaises étaient cet après-midi-là superbes, les jeunes étaient élégantes et les femmes plus mûres se montraient ingénument pétillantes. Les hommes marchaient aux côtés des dames avec une grâce indéniable. La Havane était l'une des villes les plus distinguées du monde. Les gens le dévoraient des yeux, il était beau, et il savait que naissait toujours dans son sillage un murmure flatteur sur sa noble prestance. Métis, il avait une tête de héros, des yeux verts et expressifs sous d'épais sourcils, un nez petit et parfait, une bouche pulpeuse, un menton décidé. Le torse large, la taille fine et les fesses fermes et serrées, les cuisses musclées, les jambes droites : c'était un vrai *macho,* un spécimen de virilité absolue.

– Mon joli, ça te dirait de faire un tour rue Rayo ? lui glissa une femme qu'il croisait, découvrant l'abîme vertigineux de sa bouche pourpre.

Offusqué, il ne sut s'il devait la suivre ou feindre de n'avoir pas entendu. Il choisit la seconde solution. Finalement, il aperçut la personne qu'il devait rencontrer. Un laurier projetait son ombre bleue sur sa présence. Assis sur un banc à côté de la fontaine, il lisait un livre, en l'attendant exactement comme il l'avait annoncé dans son mot :... *à côté de la fontaine en lisant de la poésie... Je souhaite vous connaître intimement...* Il ajoutait également qu'il désirait l'entretenir d'affaires importantes.

Le poète redressa la tête, sentant le regard du

héros rivé sur sa nuque. Il ferma son livre et alla vers lui. Tandis qu'ils se rapprochaient, ils se scrutaient mutuellement du regard, de plus en plus... Les yeux verts et les yeux bleus... Le blond et le métis. Ils se serrèrent la main, heureux de pouvoir enfin se rencontrer.

– J'admire votre courage, Maceo. Je vous ai aimé avant de vous connaître... Hier, lorsque je vous ai demandé l'autographe, j'étais loin de m'imaginer que je vous reverrais aussi rapidement..., dit le poète.

– Et moi, j'admire votre poésie, Casal, articula le général Maceo avec ces yeux humides et plissés où affleurait sa nature sensuelle. Puis-je vous inviter à prendre un verre ? Je vous accompagnerai seulement d'un jus de canne à sucre.

– Avec grand plaisir.

Sous les arcades de l'hôtel Inglaterra, autour de quelques verres, ils prophétisèrent, en se trompant, l'avenir du pays, discutèrent de poésie et du symbolisme français, firent l'éloge des patriotes cubains. Une émotion grandissante gagnait le général au fur et à mesure qu'il entendait les paroles divines du poète. Son front se perla soudain de sueur froide, ses lèvres épaisses tremblèrent, il devint pâle :

– Je ne me sens pas bien... Pardonnez-moi, je vous prie de bien vouloir me prêter votre bras jusqu'à l'hôtel.

Casal passa le bras du Titan de bronze par-dessus son épaule et le soutint jusqu'à sa chambre. Allongé, il était encore plus beau, il lui rafraîchit le visage à l'aide d'un éventail parfumé, il ouvrit les premiers boutons de sa chemise ; la poitrine mate et velue fit frémir le bassin du poète. Le général se redressa et se mit à défaire ses bottes, il les enleva et les lança dans un coin ; il sortit ses sandales dorées de sous le lit. Les pieds grecs brunis par le soleil attirèrent l'attention du poète, mais il écarta cette pensée sur-le-champ, car des pieds ne seraient jamais un thème poétique.

– Je me sens mieux. Je ne veux pas vous retenir contre votre gré, je vous ai déjà donné assez de tracas.

– Ne vous faites pas de souci pour moi. Que vous est-il arrivé ?

– L'impression que vous m'avez causée est si forte que je me suis senti mal.

– Je ne voulais pas vous faire souffrir.

– Ne vous méprenez pas. Je vais vous dire cela autrement. Vous m'avez rendu malade de poésie, et c'est là une maladie qui est toujours la bienvenue...

Maceo saisit une serviette, dénuda complètement son torse et se lava les aisselles en puisant de l'eau dans une cuvette de porcelaine.

– Maintenant, je préfère vous laisser vous reposer, je reviendrai à un autre moment.

– Il n'y aura pas d'autre moment, je dois partir demain à l'aube vers la montagne. La guerre m'attend.

Les deux hommes restèrent face à face, s'observant profondément. Des gouttes d'eau fraîche éclaboussaient le cou de taureau du Titan de bronze, Casal observa le trajet d'une de ces gouttes jusqu'à ce qu'elle se perde dans la jungle de son thorax. Il ferma les paupières et s'imagina que sa langue arrêtait la course de la goutte rebelle qui roulait. Les lèvres de Maceo fredonnèrent à mi-voix un hymne de combat. La lumière havanaise de cinq heures, d'un intense bleu argenté, atténua la moiteur de la pièce.

Rosalía Paula Luz de la Caridad et les singes

La Quinta Las Delicias fut le théâtre de légendes insoupçonnées de la haute société havanaise. Actuellement, elle sert de décor pour tourner des films ennuyeux, ce qui n'est pas la faute de la maison, ni de son passé. C'est là, entre les tourelles rondes imitant les châteaux médiévaux, que vécut une grande dame, Rosalía Paula Luz de la Caridad Abreu, sœur de Marta Abreu. Elle fut également l'épouse du médecin Domingo Sánchez Toledo, et la mère de Rosalía Sánchez Abreu, à laquelle Saint-John Perse a dédié, au plus fort de son aventure amoureuse avec sa Lilita cubaine, l'énigmatique *Poème à l'Étrangère.* Mais le temps passant, les trompettes de la renommée, peu charitables envers les dames insignes, firent un sort à Rosalía, et elle ne fut plus connue que comme « la bourgeoise qui se tapait des singes ». Nombre de personnalités, protagonistes de l'histoire de Cuba, ont été rabaissées de la sorte par la révolution castriste.

Rosalía et ses sœurs, Rosa et Marta, surtout

Marta, ont consacré une grande partie de leur immense fortune à l'indépendance de leur pays, elles ont inauguré des écoles, des hôpitaux, des foyers pour personnes âgées. Rosalía, comme ses deux sœurs, vécut longtemps exilée à Paris. Puis elle retourna à Cuba, vers 1902, quand son beau-frère Luis Estévez devint vice-président.

On raconte qu'elle avait toujours aimé les animaux, et qu'elle rêvait de créer un parc zoologique pour y montrer les espèces les plus rares. J'imagine qu'elle avait même dû rêver d'un safari au Kenya pour en rapporter les lions les plus féroces, et au moins un éléphant. Ce qui est sûr, c'est que vers le milieu de sa vie les singes devinrent son obsession. Elle transforma alors sa propriété en un véritable élevage. Mais il est probable que, comme dans toute légende, les commérages colportés par la rumeur publique s'éloignent de la vérité. On raconte aussi que celui qui s'était érigé en chef du groupe de singes tomba éperdument amoureux de sa maîtresse. À tel point que, lorsque Rosalía Paula Luz de la Caridad expira, le chimpanzé tenta d'empêcher que son corps ne fût porté en terre.

Je dois avouer que cette légende sur une femme de la haute société entourée de singes, et objet du désir de l'un d'eux, m'a toujours fascinée. Et en supposant que ce fût vrai, où serait le mal ? Je connais bien des couples de femmes et de chiens, et ce terme n'est pas ici une désignation imagée des hommes. Je veux parler de chiens qui aboient et sont fidèles, et qui gardent jalousement leurs maîtresses.

La Quinta Las Delicias se dressait fièrement dans l'obscurité de la nuit, entre le fouillis de branchages des arbres touffus entourant la demeure. Le clair de lune baignait les marbres du sol, et, vidée de ses anciens meubles, l'entrée à l'abandon faisait peine à voir. Je venais d'assister à une journée de tournage d'un cinéaste brésilien. L'équipe avait déjà quitté les lieux, et j'avais décidé de rester pour visiter la maison en solitaire, une fois que le tumulte du présent aurait déserté le mystère du passé. Fumant dans un des cabinets de toilette, j'attendis qu'ils soient tous partis. Ils éteignirent les lumières, et je préférais d'ailleurs que mes pas tremblants soient guidés par la pénombre.

Les toiles d'araignées pendaient dans la salle à manger déserte, et la poussière grise pénétrait dans les murs écaillés. Subitement, la salle fut illuminée et le décor reprit vie, la grande table surgit revêtue d'une nappe de fil brodé, ourlée aux pointes de dentelle de Bruges. Rosalía apparut telle qu'elle était à vingt et un ans, gracile et séduisante, parée d'une luxueuse toilette parisienne. La femme présidait à table, entourée de huit singes. Tandis qu'elle portait à sa bouche la fourchette d'argent et mordait délicatement un morceau de poisson, les convives dévoraient des bananes bien mûres, en prenant soin de les éplucher et d'en jeter les peaux dans le plat de porcelaine blanche au liseré bleu tendre. Rosalía Paula Luz de la Caridad discutait avec eux comme s'ils la comprenaient, et certains répondaient même à son babillage avec des grognements de sympathie. Je pus observer que le chef buvait du vin rouge dans un verre orné de filets d'or. Le dîner prit fin, et les domestiques desservirent la table. Alors, la maîtresse et les singes s'installèrent dans le salon d'apparat.

Le fils de la blanchisseuse, le vieil esclave affranchi, le jardinier et les singes Chacho, Chicho et Chelo s'emparèrent d'instruments de musique, de tambours, de flûtes, de guitares andalouses et d'un piano. Et la musique fut portée par la légère brise nocturne à travers les nombreux couloirs. Rosalía invita à danser l'ancien esclave, car tous sans exception prenaient part à la fête. Quand le morceau fut terminé, Rosalía persuada la blanchisseuse d'accepter le désir le plus cher de son fils, qui était de former un orchestre. La blanchisseuse acquiesça, un peu hésitante, car elle rêvait que Chapapote devienne chirurgien.

– Qu'il devienne médecin, Enriqueta, je l'aiderai financièrement. Mais qu'il n'abandonne pas la musique. Je vous en prie, ne laissez pas perdre son talent, la pressa Rosalía Paula Luz de la Caridad, en caressant le bras potelé d'Enriqueta.

La blanchisseuse sourit, pleine d'espoir, et planta un baiser sur le visage de la dame.

– Vous êtes une sainte, madame.

Et elle se sécha les paupières avec le torchon de cuisine.

Cuco, le chimpanzé, se leva du coussin dessiné et cousu à la mesure de ses colossales hémorroïdes pour répondre à l'appel de la voix chantante de sa maîtresse. Il pressentit qu'elle voulait danser. Il l'enlaça alors par la taille et, se redressant, marqua le rythme de ses pattes rugueuses et velues. La femme fit une fois de plus l'éloge de ses progrès en contredanse.

– Tu danses merveilleusement, Cuco, de mieux en mieux !

Cuco resta les yeux mi-clos, son museau palpita, en signe de tendresse, et l'esquisse d'un sourire se profila sur ses babines. Son cœur battait à tout rompre ; Cuco ne comprenait pas cette chose capricieuse qui tressautait d'un côté de sa poitrine. La fête se prolongea tard dans la nuit, et aucun invité ne cessa de danser un seul instant. Quant à moi, vaincue par la fatigue d'une journée trop mouvementée, je sentis mes yeux papilloter et ma tête rouler en avant plusieurs fois, et je m'effondrai de sommeil dans un coin du sol glacé.

La lumière intense du soleil matinal me piqua les paupières, et je crus entendre le crissement de roues de bois d'une calèche, et les sabots d'un cheval. Je courus à la fenêtre. En effet, des techniciens et des machinistes préparaient le *plateau** d'un nouveau film en costumes dont l'histoire ne narrait en rien la vie du principal fantôme féminin de la demeure, et ne ferait d'ailleurs jamais les millions d'entrées escomptés.

Le metteur en scène et son assistant m'appelèrent, et me confièrent immédiatement du travail :

– Faites le ménage à fond ! exigea, d'un ton autoritaire, le réalisateur. On raconte que ce maudit endroit regorge de mauvais esprits. Je n'ai aucune envie de me les coltiner. Je tiens à travailler tranquillement sans me faire casser les pieds par des revenants.

– C'est de la pure invention ! m'exclamai-je. Je mettrais ma main au feu que cet endroit est plus pur que l'âme de nous tous ici présents.

– Taisez-vous. J'espère, dans votre intérêt, que vous dites vrai, il faut que mon film cartonne au box-office...

– Cela ne dépend que de vous, pas de ces pauvres fantômes.

Je tournai les talons et allai arroser les roses qui, l'espace d'une courte nuit, avaient éclos dans le jardin. Sur le tronc des arbres alentour, je sentis s'écouler, sous forme de sève, des pleurs qui autrefois roulaient sur les joues de cette grande dame de la société havanaise. Levant les yeux vers le sommet des arbres, j'aperçus des singes par dizaines qui se frottaient les pupilles.

Marta Abreu en visite au 72, paseo del Prado

Si la France s'enorgueillit de son symbole de la liberté, Marianne, Cuba a oublié Marta Abreu, celle qui incarnera éternellement la loyauté et l'amour de la patrie. Mais, ces quatre dernières décennies, le moindre symbole de liberté et d'amour a été détourné, si ce n'est effacé. Sa famille était originaire des Canaries, et son grand-père paternel, né à Santa Cruz de Tenerife, débarqua à Cuba à la fin du XVIIIe siècle dans l'espoir de devenir négociant. Ceux qui arrivèrent à cette époque dans la province de Las Villas ne trouvèrent que des terrains arides, et il n'existait bien entendu ni écoles ni hôpitaux. Le gouvernement colonial se souciait uniquement de maintenir un contrôle militaire rigide et de lever des impôts. Là, à la sueur de son front, le Canarien Manuel González Abreu bâtit l'une des plus fabuleuses fortunes de l'île. Il épousa María Jiménez Peña. Sa femme fut très féconde, et de nombreux enfants ne tardèrent pas à voir le jour. Pedro Nolasco de Jesús González fut le douzième d'entre eux. Il épousa en avril 1843 Rosalía Justiana Arencibia à Villa Clara, et trois filles naquirent de cette union : Rosa, Marta de los Ángeles et Rosalía Paula Luz de la Caridad. Les trois sœurs grandirent dans l'aisance et furent élevées dans la foi religieuse. Leurs parents leur inculquèrent le sens de la charité envers les pauvres et elles consacrèrent très tôt le plus clair de leur temps aux bonnes œuvres.

La maison des Abreu-Arencibia était célèbre pour sa majesté. Ses pièces spacieuses étaient décorées de meubles élégants et confortables, et une brise embaumant le jasmin la parcourait comme un poudroiement d'or jouant dans l'effervescence de la lumière. Parmi leurs possessions, la voiture tirée par de magnifiques chevaux occupait une place de choix. Ils avaient engagé une gouvernante sévère, et ils avaient également des domestiques noirs. Les esclaves, cependant, étaient très bien traités, autant qu'il était possible dans les limites de la barbarie de l'esclavage, bien sûr. Mais Marta de los Ángeles n'ignorait pas les injustices commises ailleurs envers les Noirs, et elle faisait de son mieux pour traiter les esclaves qui la servaient comme s'ils étaient du même sang qu'elle.

En voyant que la guerre d'Indépendance commencée à Yara menaçait de s'étendre à l'ensemble du pays, don Pedro Abreu décida d'aller s'installer dans la capitale. Il acheta alors la maison de deux étages situé à un angle de rues, au numéro 72, paseo del Prado. Avec ses nombreuses fenêtres, son large porche sous des arcades symétriques, ses escaliers de marbre, elle dégageait « une certaine grandeur, typique des maisons seigneuriales[1] ».

Si les parents de Marta avaient émigré vers la capitale, c'était aussi parce que leur fille de vingt-neuf ans ne s'intéressait qu'aux livres et aux troubles qui secouaient le pays. Il fallait faire en sorte qu'elle remarque quelqu'un et que quelqu'un la remarque à son tour, ce qui avait plus de chances de se produire à La Havane. Lors d'une des premières réceptions que don Pedro et doña Rosalía donnèrent dans ce but, l'événement eut lieu. Elle ne quitta pas des yeux l'avocat Luis Estévez, de quatre ans son cadet. L'acte de mariage fut signé le 16 mai 1874, contre la volonté des parents de la fiancée, convaincus que Luis Estévez n'arrivait pas à la cheville de Marta de los Ángeles, ce en quoi ils se trompaient.

Marta consacrait son temps à des œuvres peu banales, fort concrètes et utiles. Elle créa avec le soutien de ses sœurs des centres d'éducation gratuits pour les enfants pauvres. Les revenus de la maison de son enfance à Santa Clara lui servirent à ouvrir un établissement de grandes dimensions, destiné à accueillir les enfants noirs. Elle fut la première à Cuba à inaugurer une école gratuite pour les enfants d'esclaves, qui fut baptisée La Trinidad. Elle fit construire à La Havane une autre école pour filles, appelée Santa Rosalía, et sa famille fit don de quatre-vingt-dix mille pesos pour sa construction. Soucieuse du sort des déshérités, elle fit édifier des asiles publics. On lui doit aussi le théâtre de la Charité à Santa Clara, situé sur l'emplace-

1. Pánfilo D. Camacho, *Marta Abreu, una mujer comprendida,* La Havane, Trópico, 1947.

ment d'une ancienne caserne, dont l'inauguration eut lieu un 8 septembre. Les bonnes œuvres de Marta Abreu et de son époux – qui devint vice-président de la République sous le mandat du président don Tomás Estrada Palma – sont innombrables, qu'il s'agisse des Bains publics, de l'installation de l'électricité, de dispensaires médicaux ou de l'achat d'armes pour les patriotes cubains. Une de leurs actions les plus touchantes eut lieu quand le général espagnol Weyler emprisonna une foule d'indigents dans un camp qui porte à jamais son nom, et où les prisonniers mouraient de faim et de maladies. Depuis son exil parisien, Marta Abreu envoya de l'argent au prêtre du village pour qu'il achète des médicaments et de la nourriture pour ces malheureux. C'est une femme que l'histoire aurait dû retenir parmi les plus grands noms de notre pays. Mais on l'a volontairement rayée des manuels scolaires. Si l'on interroge aujourd'hui un enfant sur Marta Abreu, il ne saura même pas de qui il s'agit, et bien des adultes ne s'en souviendront pas davantage. C'est une honte.

Dans la maison du 72, paseo del Prado, il ne reste aucun vestige de l'élégance passée, les murs écaillés s'effondrent par pans entiers, le sol peu sûr vibre sous les pas, le marbre a été volé pour agrémenter la maison d'un haut dignitaire, le bois précieux des fenêtres est rongé par la chaleur et la pollution. À l'entrée, assise dans une encoignure, une enfant noire semble jouer aux osselets. Elle est vêtue d'un short au ras des fesses, d'une chemisette râpée, et de chaussures de toile en loques. La gamine, la tête entre ses jambes osseuses, absorbée par ses mouvements, fait rebondir une petite balle de caoutchouc sur le trottoir. Les yeux tristes et chassieux, elle ne s'est pas peignée depuis plusieurs jours, ses cheveux crépus sont tout emmêlés.

Devant la maison, une voiture s'est arrêtée, dont descend une femme à la mise simple et élégante. C'est une belle dame, elle semble irréelle, songe la petite. Elle aimerait qu'elle soit sa mère, mais c'est impossible, car sa mère est morte noyée, et son père s'est évanoui dans la nature. Elle est l'un de ces nombreux enfants mendiants qui peuplent aujourd'hui la capitale havanaise. La dame se penche et lui lève le menton de sa main parfumée d'une odeur pénétrante et propre. Puis elle l'invite à entrer dans la maison, elle veut lui apprendre les secrets de sa vie. Mais la petite n'a que faire de secrets, elle crève la dalle, elle n'en peut plus. Cela fait trois jours qu'elle n'a rien avalé, elle ne boit que de l'eau des flaques en compagnie de chiens galeux, et la dernière chose qu'elle a mangée, c'est un reste de pizza qu'un touriste a jeté par la fenêtre de son hôtel de luxe. On peut voir des morsures et des griffures sur sa peau, car elle a dû disputer aux chiens son bout de pizza. Le footballeur en cure de désintoxication avait paru à la fenêtre, invitant ses compagnons au spectacle, avec un accent argentin à couper au couteau :

– Regardez-moi ça, c'est incroyable ! Une pionnière qui tue des chiens ! Tu exagères, on devrait te fusiller, tu donnes une trop mauvaise image des gosses cubains ! Tu es encore plus chienne que les chiens !

Et l'ami anglais du footballeur, célèbre chanteur de *pop* pédophile, était alors venu la chercher et il l'avait violée plusieurs fois.

La petite racontait tout cela à la femme tandis

que cette dernière lui faisait découvrir les pièces de la maison.

– C'est ici, dans ce salon, que j'ai dansé pour la première fois avec mon Luis, je l'ai connu ici même, et j'en suis tombée amoureuse..., mais son visage était sillonné par les larmes.

– Moi, je ne veux jamais tomber amoureuse, les hommes, c'est de la merde, dans ce pays, des connards. Et les étrangers viennent là pour abuser de nous.

– Tu devrais aller à l'école.

– On ne me veut nulle part. Je suis une fille de traîtres. Et une pouilleuse.

– Pourquoi ne viens-tu pas avec moi ? Tu viendrais avec moi à Paris ?

– Vous m'excuserez, madame, vous avez peut-être plein de fric, mais vous n'avez pas les yeux en face des trous. Vous ne savez pas qu'à onze ans, je n'ai pas le droit de voyager ?

– J'arrangerai tout ça. En attendant, viens avec moi à l'hôtel. Cette nuit, tu dormiras dans ma chambre, nous irons dîner ensemble dans un bon restaurant, ou bien on se fera monter le menu. Tu ne devrais pas me traiter ainsi... J'ai été aimable avec toi, dit-elle, voyant qu'elle avait affaire à une enfant mal élevée, laquelle baissa la tête, peinée.

Elles se rendirent en voiture à l'hôtel de luxe, hors du centre-ville, au cœur d'un bosquet. Par chance, elles entrèrent dans le hall au moment où les agents de sécurité étaient occupés à tabasser une prostituée tuberculeuse et syphilitique. Quand la dame s'enquit des raisons d'une telle violence contre une femme sans défense, le gérant lui répondit :

– C'est une ennemie de la patrie.

Elle, qui venait d'un temps où chaque ennemi de la patrie était aussi son ennemi personnel, ne comprit pas que ces mots avaient perdu leur sens.

La petite s'était glissée jusqu'au quatrième étage où se trouvait la chambre, dont elle avait réussi à lire le numéro sur la clé de la femme. Quand celle-ci arriva, la gamine l'attendait, couchée comme un chien devant la porte. Elle l'obligea immédiatement à passer sous la douche, la frotta énergiquement, lui enleva les poux un par un et lui prêta un pyjama de soie.

– Demain, nous irons t'acheter des vêtements.

– Je préfère rester ici, j'ai peur de sortir et de me perdre dans la racaille de la rue.

La femme la comprit. Elles dînèrent copieusement, regardèrent un peu les chaînes américaines à la télévision, puis l'enfant s'endormit avant la femme.

Le lendemain matin, elle laissa dormir la petite et sortit lui acheter des vêtements. Elle mit du temps, car il ne lui était pas facile de se souvenir de sa taille. Finalement, elle revint contente, elle avait acheté trois petites robes, plusieurs pantalons et bermudas, des maillots légers, quatre paires de chaussures de sport, des chemises de nuit, des chaussettes, des culottes, des élastiques et des épingles colorées pour ses cheveux, et même des jouets : une poupée, des crayons pour colorier des livres, un avion, un ballon de plage, une boîte à musique...

Le tumulte à la porte de l'hôtel, une vraie descente de police, l'alarma. Le gérant lui barra le chemin.

– Il y avait un voleur dans votre chambre, mais on a réussi à le neutraliser.

À ce moment, on évacuait le cadavre de la petite, dont la tête avait été écrasée. Laissant tomber ses sacs de courses, la femme s'élança vers la civière en bousculant tous ceux qui se trouvaient sur son passage. Elle étouffa un cri. Le policier qui avait dirigé l'opération s'approcha :

– Cette petite maligne s'était introduite dans votre chambre, et elle fouillait dans les tiroirs quand la femme de chambre est entrée faire le ménage. Heureusement, elle nous a prévenus immédiatement. Nous sommes intervenus, elle a voulu s'enfuir, nous n'avons rien pu faire. Elle est tombée par la fenêtre. La petite crapule !

La femme le regarda, les yeux exorbités, sa main fendit l'air et elle gifla le policier déconcerté qui, par réflexe, porta la main à la cartouchière où il avait rangé quinze minutes plus tôt son pistolet après avoir tiré en l'air.

Le soir même, avançant son retour, la femme prit l'avion pour rentrer à Paris, alors qu'il lui restait un mois à passer dans l'île. Dans son appartement de la ville européenne, beaucoup de temps s'écoula avant qu'elle ne sourie à nouveau. Et elle ne put jamais oublier.

Crieurs des rues

C'était de bon matin, ma grand-mère m'avait demandé de sortir le sac de jute contenant des bouteilles vides. L'homme qui les récupérait allait passer devant chez nous, au 160 de la rue Muralla, entre les rues Cuba et San Ignacio. Il troquait des bouteilles de soda vides contre des bonbons et des sucettes. Comme tous les enfants, j'étais fascinée par cet échange de déchets contre des sucreries. L'homme arborait une fausse bosse dans le dos et il se déguisait en amiral. Sa voix de crieur le précédait :

Booooooonbooooooons,
Pour les petites et les grandes,
une sucette...

L'année suivante, les crieurs furent interdits, car ils étaient, selon le gouvernement révolutionnaire, un vestige du passé, et tous les enfants furent mis aussi sec à ramasser des bouteilles. Bonbons et sucettes disparurent, parce qu'il fallait combattre les caries exactement comme on combattait l'ennemi impérialiste, en démenti flagrant à la publicité officielle qui affirmait pourtant à la télévision : *Du sucre pour grandir.*

Le rémouleur fut l'un des seuls qui survécut, avec le vitrier. Mon préféré était le rémouleur, car, dans les bandes du parc de La Havane, circulait une légende selon laquelle il s'agissait d'un assassin anglais à la retraite, le célèbre Jack l'Éventreur.

Réééééémouleur
De ciseauuuuuux
De couteauuuuuuux et de rasoiiiiiiirs.

Ainsi chantait-il, en s'accompagnant parfois d'un harmonica.

Grand-mère me racontait que, du côté des plages de Marianao, les crieurs de glaces à l'eau et de granités, avec leurs clochettes, existaient encore. Et aussi les joueurs d'orgue de Barbarie, qui vendaient des beignets de patate douce et des meringues. Mais eux aussi furent ensuite éliminés par les ennemis de l'enfance.

Il y a quelques jours, alors que je dormais dans la petite chambre mansardée de mon *solar* de la rue Beautreillis, j'ai entendu le vitrier, et le rémouleur, puis un enfant qui jouait de l'orgue de Barbarie en chantant de vieux airs de Paris. C'était un dimanche, et il était bon de se réveiller en leur compagnie. Je me rendormis baignée de sueur et rêvai de ces crieurs de cacahuètes du début du XXe siècle, qui parcouraient les rues des faubourgs de La Havane en 1912 :

Maníííííííí, manííííííííí,
Si tu veux te réjouir le palais
Achète-moi un cornet de cacahuètes...
Le vendeur de cacahuètes est là,
Le vendeur de cacahuètes est là[1]*...*

1. Célèbre *Son pregón* de Moisés Simons, qu'interpréta, entre autres, Rita Montaner, à laquelle il est dédié. *(N.d.T.)*

La grande Paulina au théâtre Shanghai

Dans les années 20 et des poussières vécut une certaine Paulina, dame de la meilleure société qui n'arrêtait pas d'augmenter de volume et adorait se laver le minou dans des bidets de porcelaine aux robinets d'or. Mais Paulina souffrait de paranoïa et d'un dédoublement de la personnalité. Femme fortunée de grande distinction, respectée et couverte de bijoux le jour, elle hantait le soir venu les fêtes du Dragon dans le Quartier chinois, déguisée en geisha, car elle confondait le chinois et le japonais. Quiconque avait les yeux bridés et la peau jaune était chinois, point final. Après s'être trémoussée au carnaval de la rue Zanja, elle se rendait au théâtre pornographique le plus célèbre du monde, le Shanghai, pour y rejoindre son amant Lou Tang, un Asiatique à la queue de marbre et aux boules d'ivoire, qui savait tenir en équilibre horizontal sur sa verge raide, fichée comme un piquet dans le sol de bois de la scène, et tournoyer autour à la manière des pales d'un hélicoptère.

Un soir, Lou Tang ne parut pas sur scène. Alors Paulina, habillée en homme ce soir-là, avec les cheveux tirés en arrière et une fausse moustache, se rendit avant la fin du spectacle dans la loge de son prodigieux amant. Elle trouva là le robuste Lou Tang en train d'embrocher jusqu'aux oreilles l'actrice et contorsionniste chinoise Won Sin Fon. Paulina s'enfuit éperdue de la loge coupable, non sans envoyer au préalable à la calebasse de Lou Tang un certain nombre de vases et d'éléphants chinois.

Le lendemain matin, ayant pleinement recouvré sa personnalité de maîtresse de maison, elle revêtit une mise sombre et sans apprêt, attrapa un panier et demanda à la bonne de l'accompagner au marché, car elle avait envie depuis plusieurs jours de quelques tranches de *mamey* bien rouges, mais la servante celtibère n'était pas douée pour reconnaître ce genre de fruits, et elle rapportait immanquablement à leur place des melons, ou bien des mangues. À peine avait-elle fait quelques pas qu'une femme s'arrêta devant elle. Avec son visage lisse, elle avait l'air chinoise. Elle était élégante et belle.

– Hiel soil, le costume de galçon vous allait à melveille, dit Won Sin Fon avec son accent asiatique.

Ses yeux en amande sourirent, humides d'un désir tout féminin. Paulina, troublée par le compliment de l'inconnue, ne sut que dire. Elle s'excusa, feignant d'être très affairée, et se fondit dans la foule des clients où la bonne l'attendait en soupesant deux splendides courges en guise de *mameys*.

Le soir même, Paulina s'habilla à nouveau en jeune homme distingué, mais, au lieu d'aller demander des comptes au Chinois Lou Tang, elle fila directement à la loge de Won Sin Fon. L'actrice venait de terminer son numéro, et elle se confondit en remerciements, ravie de voir entrer ce jeune garçon factice, un bouquet de tulipes à la main. Won Sin Fon lui frotta le cou avec une essence orientale. Paulina glissa ses mains gantées de chevreau dans le décolleté de Won Sin Fon, elle entrouvrit son kimono de soie et plaça son nez entre les seins de nacre de la contorsionniste. Ce qui fit grandir encore Paulina de deux pouces supplémentaires en un clin d'œil.

Catalina et la rose de chair

On prétend que la première femme au monde qui courut le risque de modifier son visage grâce à la chirurgie esthétique fut la Cubaine Catalina Lasa. Selon la rumeur, elle se fit opérer cinquante et une fois, avant d'expirer sur le billard au cours de la cinquante-deuxième intervention. Son cercueil, transporté en bateau de Paris à La Havane, fut accompagné par son grand ami Lalique, à qui elle avait fait promettre de construire le mausolée familial au cimetière de Colón. L'artiste tint parole. Le tombeau des Lasa Baró, entièrement en cristal violet, marbre blanc et granit noir, est dominé par le dessin de la rose créée par cette femme fantasque, que Lalique a reproduite avec la plus grande délicatesse. Le veuf, Juan Pedro Baró, fit l'impossible pour que le chef-d'œuvre de cristal voie le jour, en hommage à son épouse adorée.

En 1927, il avait fait construire l'une des premières maisons Art déco de La Havane, et les architectes Evelio Govantes et Félix Cobarrocas dessinèrent une merveille inégalée d'éclectisme et de luxe. Le destin de la maison changea après 1959 : suite à l'expropriation des héritiers, la demeure devint l'Institut d'amitié cubano-soviétique. Mais après 1989 et la chute du mur de Berlin, elle s'est transformée en une salle des fêtes que l'on peut louer pour l'anniversaire des quinze ans des jeunes filles ou les mariages. J'ignore si l'immense portrait de Lénine épie encore, depuis l'un de ses salons principaux, l'héroïque marche du peuple cubain au rythme de la conga vers les lendemains qui dansent.

Six décennies plus tôt, Catalina Lasa était assise au bord de la pelouse du jardin que son mari lui avait offert avec tant d'amour, tout occupée à créer une rose dont les pétales auraient la fine texture d'une peau de femme et le rose de ses joues. Elle prit une rose blanche et une rose rouge du jardin, versa quelques gouttes de son sang menstruel, des larmes de joie (elles n'auraient absolument pas pu être des larmes de souffrance) ; avec la pointe d'un coupe-papier d'or elle gratta une couche légère et brillante de la sueur qui lui couvrait le front ; de ses tétins roses, elle tira deux gouttes de lait. Elle broya cette mixture dans un mortier de marbre rose, puis sema le résultat dans la terre ocre. Vingt-huit jours plus tard, une épine verte et luisante apparut. Catalina surveillait jour après jour la croissance de la pousse. D'abord apparurent les épines – elles ne faisaient pas mal du tout et ressemblaient plutôt à des cheveux d'ange –, puis les corolles. Une année ne s'était pas écoulée quand le rosier s'épanouit, et la surprise fut réellement très agréable. Des roses de la couleur de la peau s'épanouirent devant ses yeux. Au toucher, leurs pétales étaient si doux, et en même temps si résistants, qu'elles donnaient l'impression d'être des roses de chair.

Les roses Catalina Lasa devinrent rapidement si célèbres que le monde entier en commandait d'innombrables bouquets. Pepe Horta, le patron du Café Nostalgia de Miami, a même inventé un plat délicieux : des crevettes enrobées de pétales de rose Catalina Lasa. On fait frire les crevettes enroulées dans les pétales à l'huile aillée, c'est un régal servi avec un peu de purée d'igname, elle aussi assaisonnée d'ail.

Catalina Lasa dut se rendre à Paris, où elle ne retrouva pas la magie de la terre rouge et fertile. Pour comble de malheur, elle ne versait plus uniquement des larmes de joie, ses règles arrivaient quand bon leur semblait, la sueur de son front devenait opaque, et la longueur de l'hiver avait tari ses seins. Dans l'une des réceptions élégantes du *Tout-Paris**, on lui présenta un docteur qui affirma pouvoir rendre la jeunesse aux femmes, voire augmenter leur beauté à petits coups de scalpel.

– J'ai plusieurs soucis. Mes règles sont irrégulières. Je suis sûre qu'un dérèglement hormonal est à l'origine de mes crises de larmes et d'une tristesse sans raison apparente. Les gouttes de ma sueur sont de plus en plus épaisses et crémeuses, et mes tétins sont devenus violets, tout petits, et ils se sont bouchés.

Lors de sa consultation, Catalina expliqua au docteur ses maux. L'homme de l'art griffonnait sur une feuille blanche de sa plume Montblanc tandis qu'elle lui confiait ses malheurs.

– Ma rose va s'éteindre avec moi, soupira-t-elle tristement.

– Je peux y remédier, promit l'éminent chirurgien.

À partir de cette rencontre, les interventions chirurgicales commencèrent. Une entaille dans le bas-ventre : en étirant la peau, il soulagerait ses douleurs, et, en y associant un traitement hormonal, les règles reprendraient leur cycle lunaire. Avec une incision au-dessus des paupières, et dans les poches sous les yeux, qui permettrait d'étirer la peau vers les tempes et d'en retirer un bon doigt devant les oreilles, les glandes lacrymales recommenceraient à fonctionner comme celles d'une petite fille, et les larmes jailliraient avec leur vigueur passée. Remonter le front en le tirant au maximum éliminerait les rides où s'accumulaient sueur et pollution. Une suture au niveau du crâne, au ras des cheveux, éviterait que la cicatrice ne se voie. Quant aux seins, il fallait les redresser à tout prix, les arrondir, rendre aux tétins leur humidité et leur vitalité rosée grâce à des crèmes dont l'efficacité n'était plus à prouver.

Les premières opérations furent un tel succès que Catalina Lasa, enthousiaste, accourait à la clinique dès que le miroir lui renvoyait l'image de la moindre fissure. Ce fut la renaissance des roses de chair, qui se vendaient comme des petits pains. Catalina avait une mine divine, mais elle seule connaissait en silence la fatigue intérieure trop profonde de se sentir happée vers un au-delà obscur. Et elle qui aimait tant la lumière, les lampes extravagantes, les salons resplendissants, réduisit l'intensité des éclairages, se défit de merveilleuses bougies et, créant progressivement la pénombre autour d'elle, s'éteignit peu à peu...

Hier, jeudi, je suis allée aux Galeries Lafayette

du boulevard Haussmann, je me suis mise à admirer selon mon habitude les plafonds Art nouveau et, me laissant porter par une étrange intuition, je me suis soudain retrouvée face à la vitrine Lalique. Les symptômes provoqués par cette découverte ont été plus stupéfiants que ma surprise première. Mes yeux devinrent humides et une joie infinie m'envahit, mes seins gonflés se mirent à goutter, je pus apercevoir dans le miroir des perles de sueur sur mon front, je ressentis une douleur dans les ovaires et un liquide chaud me mouilla l'entrejambe. Dans la vitrine se trouvaient des boucles d'oreilles Lalique qui dessinaient la rose de Catalina Lasa. Deux petites roses de cristal pendaient à l'envers. Leur reflet charnel me fit imaginer cette jeune mariée qui, dans un jardin retiré de La Havane, avait inventé une rose unique, qu'ensuite le monde entier avait désiré placer dans les vases les plus en vue des palais, à la taille des jeunes filles de quinze ans, dans la chevelure des divas. Une rose au parfum extrait de la vie même.

La Miraculeuse

Au cimetière de Colón, on vénère la statue d'une femme tenant dans ses bras un enfant. Les gens l'ont appelée La Miraculeuse. Ramasser une poignée de terre sur sa tombe porte bonheur et prolonge la vie. Lui adresser des prières permet de guérir les enfants, de soulager les douleurs et de réaliser les vœux les plus invraisemblables. La légende raconte que cette femme est morte en couches en donnant le jour à un enfant apparemment sans vie.

Fou de douleur, le mari et père voulut que la défunte ne soit pas séparée de l'enfant. Il demanda qu'on les veille et les enterre unis de la sorte. Les médecins auscultèrent une fois encore le bébé, pour lever les derniers doutes. Il respirait, très faiblement ! L'homme reprit espoir et son cœur se remplit de joie, mais on lui annonça peu après que le petit venait de s'éteindre. Alors la volonté de l'homme fut que la femme et l'enfant restent inséparables jusque dans la tombe. Ils furent donc enterrés dans le même cercueil, et l'enfant fut juste placé entre les jambes de sa mère, car dans ce creux il serait plus à son aise, comme dans un berceau, selon le père.

Les années s'écoulèrent, et il ne se passait pas de jour sans que l'homme ne se rende sur la tombe des êtres qu'il aimait. Il avait l'habitude de repartir sans jamais tourner le dos à la statue, qui représente une mère tenant son enfant dans les bras. C'est pourquoi ceux qui rendent visite à La Miraculeuse s'éloignent toujours à reculons, en continuant de la regarder.

Un jour, les cadavres durent être exhumés, et quelles ne furent pas la surprise et la terrible angoisse de cet homme en découvrant que l'enfant avait abandonné son refuge entre les cuisses de sa mère, pour grimper jusqu'à sa poitrine. Le bras de la femme le protégeait, la bouche du bébé avait cherché son tétin et avait visiblement tenté de le sucer.

On raconte que l'homme tomba malade de tristesse devant l'évidence que l'enfant avait été enterré vif. Il ne retenait plus ses pleurs, déchirait ses vêtements, et hurlait que, par une erreur impardonnable, il avait envoyé son fils dans l'au-delà. Et peut-être, dans son désir que sa femme se rende accompagnée à la *vallée de Proserpine* – comme dirait Lezama –, ne s'était-il pas inquiété autant qu'il l'aurait dû de la maladie de son petit. Sa solitude n'en fut que plus effrayante. Sa peur de l'obscurité alla croissant. L'homme se mit à fuir, impuissant, les sourires des enfants. Il se réfugia dans un dangereux mutisme. Résolu à abandonner le monde, il cessa de s'alimenter, refusa de boire, s'écroula dans un coin. Un après-midi, il s'endormit profondément. Il n'avait pas bougé depuis des semaines, et pourtant il tombait de fatigue, comme s'il avait travaillé nuit et jour. Il rêva d'eux, elle était assise dans un fauteuil à bascule et donnait le sein à leur fils. Il eut au moins le bonheur de succomber devant une image tendre.

L'esprit farceur

Une trentaine de personnes assistait à la veillée funèbre de Gumersindo, dans le quartier de Cocosolo. De son vivant, feu Gumersindo avait été un sacré farceur, il ne perdait pas une occasion de faire des blagues et d'asticoter le monde. Si une femme aux hanches larges et au derrière proéminent venait à passer devant lui, il criait :

– Laissez passer le croupion !

Et il lui pinçait l'arrière-train.

Rien ne l'arrêtait, pas même la sainteté des sépulcres. Mais comme pour tout un chacun, l'heure dernière sonna un jour pour Gumersindo. Il était haut perché, en train de peindre les murs d'un édifice, quand l'échafaudage s'effondra, et il fut réduit en purée contre l'asphalte, car, cinq secondes après que son corps eut rencontré le bitume, un bus de la ligne 132 en direction de Playa lui passa dessus.

Gumersindo passa du royaume des vivants à celui des morts vite fait, son corps souffrit, mais son âme resta ici-bas, au grand dam de son entourage. Comme il était mort dans un accident brutal, son esprit n'avait même pas eu le temps de se rendre compte qu'il était passé de vie à trépas. Et, dans son trouble, il tanguait à la frontière de l'au-delà et continuait à faire des siennes. Au cours de sa propre veillée funèbre, l'esprit de Gumersindo alla jusqu'à l'endroit où se trouvait sa femme pour lui introduire la langue dans l'oreille. Herminia frissonna de la tête aux pieds. Puis la langue passa sous sa jupe et commença à lui titiller le clitoris. La veuve eut à sa grande honte un orgasme en pleine veillée, et comme elle était croyante, elle récita mille Notre Père, deux mille Je vous salue Marie, et trois mille Credo pour se faire pardonner par le défunt, sans se rendre compte qu'il lui avait joué ce mauvais tour.

Ce même soir, Gumersindo, glissant la main dans la poche arrière du pantalon repassé de frais et amidonné de son meilleur copain, lui déroba cent pesos. L'autre sentit qu'on le touchait par-derrière, et, pickpocket lui-même, il porta instinctivement la main à sa poche. Comme son portefeuille n'y était plus, il asséna un coup de poing en pleine poire au type qui se trouvait juste derrière lui, croyant que c'était le voleur.

Les coups commencèrent à pleuvoir, une bagarre éclata aussitôt. Une petite gouape du quartier de San Isidro se mit à jouer du couteau et il étripa un tas d'intrus, tout en prenant soin de respecter la famille du défunt. La flicaille ne se fit pas attendre, et les policiers rappliquèrent pour distribuer des taloches à tour de bras. Les plus récalcitrants étaient expédiés d'une balle dans l'autre monde. Gumersindo riait de bon cœur.

La fiesta battait son plein quand l'esprit de Gumersindo fut bousculé et se retrouva d'un coup face à son propre visage, collé à la vitre du cercueil où il se vit, tout bleu et racorni. Une vraie loque. Bon sang, se dit-il, ça n'est pas moi, je ne suis pas mort, bordel ! Et il s'éloigna doucement en fredonnant :

– Éloigne-toi de moi,
esprit farceur...
Prends pitié de moi,
Esprit farceur...

Et tous ceux qui avaient trouvé une mort aussi brutale qu'inattendue cette nuit-là, transformés brusquement en fantômes novices, reprirent en chœur avec lui cette rumba qui court les rues depuis cette époque :

– Éloigne-toi de moi,
esprit farceur.

Yarini et Radamés

Comme les Cubains le savent, le quartier de Colón fut célèbre pour ses mœurs légères et ses filles de joie. La plupart de ses maisons closes étaient tenues par des Françaises. Mais on ne parlait pas seulement du quartier de Colón en faisant la moue pour évoquer ses prostituées. Nombre d'étudiants et d'intellectuels le fréquentaient, ainsi que des hommes politiques. L'écrivain Alejo Carpentier aimait à y rôder vers 1927 pour y jouer du piano et parler de Pierre Loti avec les *cocottes**. Il a écrit qu'il s'agissait de lieux très accueillants, « ils répondaient au nom fort littéraire de lupanars, et nous allions échouer au lupanar. Il y avait là des filles intelligentes, voire cultivées. Je me suis amusé un jour à voir quels étaient leurs auteurs favoris. Pierre Loti rassemblait leurs suffrages, elles l'adoraient, surtout son roman intitulé *Les Désenchantées*[1] ». Il y avait aussi le quartier de San Isidro, vers

1. Alejo Carpentier, *Conferencias,* La Havane, Letras Cubanas, 1987.

le port, repaire des marins en bordée. C'était le territoire des Cubaines « de mauvaise vie », on y trouvait très peu de Françaises. On disait que c'était un quartier mal famé, les femmes étaient maltraitées, les beuveries se soldaient par des bagarres et des coups de couteau. C'est ce que l'on racontait, mais tout semble indiquer que ce fut l'un des endroits préférés du grand poète espagnol Federico García Lorca, qui y connut un marin à terre à la peau brune, qu'il aima jusqu'au trognon.

Le maquereau havanais resté le plus célèbre jusqu'à nos jours était surnommé Yarini. À son époque, il eut un rival en la personne de Radamés, le Français. Comme on pouvait s'y attendre, l'existence de deux quartiers donna naissance à deux bandes commandées chacune par l'un des souteneurs. Yarini régnait sur San Isidro. Et le fameux Radamés sur Colón, même si toutes les putes françaises ne se laissaient pas exploiter par le franchouillard. Les filles de ce quartier étaient les plus expertes, et elles ne recevaient pas seulement des intellectuels crève-la-faim, ou des révolutionnaires en herbe. Elles étaient bien plus intéressées par les comtes, les fils de bonnes familles cubaines, qui payaient bien et les traitaient comme des duchesses.

Cet après-midi-là, Yarini s'était promené sur son cheval bai à la queue soyeuse, tressée de fils d'or. Il était impeccablement vêtu, d'un costume blanc de toile de lin, son panama sur la tête, tel que l'a décrit Carpentier : « Pour les collégiens que nous étions, Yarini était ainsi [...]. Jules César, Auguste, l'*Énéide* et Virgile pouvaient aller se rhabiller. Yarini était l'idéal. » Yarini était un homme très silencieux et, perdu dans ses pensées, il prit le chemin de Santa María del Rosario, où il arriva trempé de sueur.

Devant une étrange masure de bois, presque en ruine, il descendit de son cheval, qu'il avait éreinté. Son costume s'était froissé, et une immense tache de sueur s'étalait sur son col. Il attacha la monture à un réverbère, puis, ôtant son panama, traversa le jardin jusqu'à la porte. Là, il hésita quelques secondes avant de frapper. Quand il le fit, un Noir qui venait de sortir du bain, la poitrine et le dos poudrés de talc, lui ouvrit, une serviette nouée autour de la taille pour tout vêtement ; celui-ci lui sourit aimablement, dévoilant des dents saines et d'une grande blancheur. Il le fit immédiatement entrer, et Yarini fut reçu par deux chiens jumeaux couleur cannelle qui le saluèrent par d'affectueux aboiements et lui léchèrent les mains.

Le garçon et les chiens le conduisirent vers une pièce misérable. Yarini traversa le rideau de bandes de tissu multicolores. À l'intérieur, une vieille femme imposante, dont les cheveux crépus étaient blancs, lui souhaita la bienvenue sans se lever de sa natte. Ses yeux révulsés semblaient privés de pupilles, et elle ne cessait de lever le coude pour avaler des gorgées de rhum dont elle se rinçait les gencives.

– Dis-moi l'avenir avec tes coquillages, Tatica, supplia Yarini plein de respect. Je suis inquiet, marraine. Radamés me provoque de plus en plus : ce flambeur n'a peur de rien ! Et je ne vais pas laisser un Français vivre des Cubaines. Maintenant, il veut aussi faire main basse sur mon quartier, le sien ne lui suffit plus, malgré toutes les Françaises qui lui donnent plus de la moitié de ce qu'elles gagnent.

– Mon ga'çon, pou'quoi veux-tu que je te p'édise l'aveni', tu sais déjà tout.

La vieille femme tira une longue bouffée du bout de cigare qu'elle gardait sur l'autel de Santa Bárbara, à côté de celui de San Lázaro.

Yarini s'agenouilla devant elle, sur la natte. La vieille prit un sac et se prépara à commencer la cérémonie.

– Ooooooh, Sainte Vie'ge, ça ne va pas du tout, pas du tout, mon ga'çon. Tu dois fai'e attention à toi, t'ès attention.

Yarini se leva après avoir avalé deux gorgées avec la femme à même le goulot de la bouteille. Il tira également sur son mégot. Tatica lui souffla dessus plusieurs bouffées de fumée bleutée.

– Tu dois fai'e attention aux coins somb'es, mon ga'çon. Je suis désolée de le di'e, mais tu cou's un g'and danger.

Yarini baissa la tête pour ne pas laisser voir les larmes qui lui montaient aux yeux. La vieille, se redressant comme elle put, l'attira vers sa poitrine énorme. Yarini sanglota sur ces seins qui ressemblaient à deux noix de coco.

– Tu dev'ais te 'anger des voitu'es...

Yarini se releva aussitôt, embrassa la femme sur les deux joues, et s'en alla sans dire un mot. Sur le seuil se trouvait le Noir, seulement vêtu d'un short, en train de sucer la peau d'un quartier d'orange. Yarini lui fit un cadeau, une bourse de cuir qui contenait des pièces d'argent. Il monta sur son cheval et rentra par le chemin le plus court. Le soir approchait, mais le soleil cognait encore. Il arriva rue Obispo à la nuit tombée.

Un mois plus tard, la prophétie s'accomplit, la guerre fut déclarée entre les bandes de Yarini et de Radamés. Assassinats et coups de feu se succédaient. Cela dura jusqu'à ce que Yarini fût transformé en passoire. Le principal suspect n'était autre que Radamés. Le jour de l'enterrement du mac cubain, le cimetière de Colón était plein à craquer de ses amis, et de ceux qui l'idolâtraient, venus en masse lui faire leurs derniers adieux. Tatica et son petit-fils y étaient aussi, en retrait, à demi cachés entre les tombes.

Ses ennemis, postés à l'entrée du cimetière, cherchèrent querelle au cortège funèbre quand il passa. Aucun des alliés de Yarini ne se laissa impressionner, car ils préféraient attendre la fin de l'enterrement. Ainsi fut fait. À la sortie, les partisans de Radamés rôdaient encore. L'un d'entre eux fit un croche-pied à un très jeune garçon qui avait porté le cercueil, déclenchant la bagarre. Ils en vinrent d'abord aux mains, puis dégainèrent leurs pistolets. Et entre Cubains et Français, ce fut alors la corrida.

Luján

Nous nous étions donné rendez-vous sur le mur du Malecón, ce lieu en d'autres temps démocratique qui avait captivé Luján [1]. Malgré son grand âge, il avait l'air jeune. Les fantômes ne vieillissent pas, répondit-il en se moquant de mon compliment, et tout à coup il eut l'idée de m'inviter à Bejucal pour rendre visite à l'une de ses amies, une sorcière celte, précisa-t-il en riant à gorge déployée. Luján, s'il se vantait d'être un grand marcheur, conduisait néanmoins une automobile, et il décida que nous devions prendre la « machine », comme il disait, car le trajet serait long, et le soleil menaçait de nous réduire la cervelle en bouillie.

Il avait les cheveux longs, pommadés de frais, avec de petites pattes effilées et une moustache si fine qu'elle était à peine visible. Ses sourcils noirs et arqués brillaient, ses yeux rieurs en amande,

1. J. Mañach commentait sous ce nom l'actualité havanaise dans la presse. *(N.d.T.)*

couleur de jais, étaient ombrés de cils fournis. Homme élégant, sans aucun doute, et séducteur. Sa bouche sensuelle parlait lentement, avec un sourire affable, amoureux. Le menton était légèrement carré, avec une jolie fossette au milieu. Son nez était droit et parfait. Grand et svelte, il se targuait de ne pas avoir une once de graisse sur le ventre. S'appuyant des deux mains sur une canne à pommeau d'or, il signalait à mon attention le clocher d'une église.

Avant d'arriver à la maison de Mimita, comme il appelait son amie, il pointa de sa canne une niche vide au coin de deux avenues.

– La Vierge du Chemin régnait ici. Elle a dû être volée.

– À moins que le gouvernement ne l'ait enlevée, remarquai-je, craignant le pire.

La maison de Mimita donnait directement sur la rue par un couloir. C'était une vieille maison, décrépite et malodorante, abritant plusieurs familles ; les eaux des égouts débordaient et pénétraient par des rigoles jusqu'au sol des chambres. Mimita, ratatinée et bossue, devait avoir dans les quatre-vingt-dix ans. Elle mâchonnait un morceau de pain dur avec ses gencives. En voyant Luján, elle se leva à grand-peine de l'embrasure de la porte, nous offrit un bout de pain rassis, que nous lui laissâmes. Nous la suivîmes dans la chambre. Elle déglutit, posa le dernier quignon sur le fourneau, et sortit son dentier de la poche de son tablier. Elle l'avait enlevé parce qu'il la gênait pour manger, il n'était pas à elle mais à sa défunte sœur. Elle le portait pour se faire belle, expliqua-t-elle tandis qu'elle secouait les miettes de pain tombées sur sa poitrine.

À l'intérieur de la pièce, dans une sorte d'antichambre, Leopoldo, son époux, se balançait dans un fauteuil à bascule. Comme il était aveugle, il lança un salut dans le vide quand Mimita me présenta, car il connaissait déjà Luján depuis cent un ans, et ils se donnèrent l'accolade avec effusion. Mimita alluma le feu, et tout le monde sauf Leopoldo se mit à observer les grandes flammes bleues. Mimita souhaita la bienvenue aux morts et aux vivants, aux esprits protecteurs et maléfiques.

Mimita était née à Dublin, le 16 septembre 1905, d'où ses parents l'emmenèrent aux Canaries avec ses sœurs, puis à Cuba. Quand sa tante des Canaries la vit, elle apprit aux parents que la petite était une *meiga*, qu'elle avait des pouvoirs, et qu'elle deviendrait sorcière en quelques années. En effet, à peine étaient-ils arrivés à La Havane que Mimita se mit à percevoir des choses étranges, à lancer des prophéties où elle annonçait aussi bien les naissances que les catastrophes.

– Ami Luján, une raison intime vous amène aujourd'hui.

– J'ai connu cette femme sur le mur du Malecón, il y a quelques jours à peine, c'est sûr, mais... J'ai voulu lui expliquer que je suis un fantôme, mais elle ne me croit pas. Vous pourrez sûrement m'aider à la convaincre.

– C'est une chance que tu me l'aies amenée, murmura la femme.

Je regardai Luján, surprise. Mimita m'attira vers elle, puis elle me donna deux petites tapes sur les joues :

– Cette petite est très triste, Luján, très seule. Nous allons devoir l'aider. Pas vrai, Leopoldo ?

Leopoldo acquiesça sans cesser de se balancer.

– Comment as-tu pu voir Luján ? Très peu de gens y arrivent. Bien que tu sois médium, tu ne veux pas mettre tes talents en pratique, car la peur te ronge les entrailles. Comment as-tu pu le voir sans même le vouloir ?

– Il était là, à mes côtés, il contemplait la mer, comme moi. C'est vrai que sur le coup je l'ai trouvé un peu vieux, mais j'ai bien aimé le voir attifé comme ça, comme un fou.

– Ma fille, Luján est un esprit. De plus, il n'a même pas existé en tant que personne. Il fut la créature d'un essayiste et écrivain, Jorge Mañach, un vieil ami très cher qui est mort à Porto Rico. Luján a été son invention havanaise la plus populaire. Luján n'est qu'une création littéraire, ma belle.

Je cherchai à nouveau les yeux de mon guide ; Luján fumait tranquillement sa pipe habituelle, il observait avec attention le panier de palme que Leopoldo s'était mis à tresser avec l'adresse propre aux non-voyants. M'approchant de Luján, je pris sa main ; elle était chaude, et sa paume était moite.

– Mais quand je le touche, il est bien réel, dis-je à Mimita.

– C'est parce que tu veux qu'il soit réel. Tu as besoin de cette personne à tes côtés. N'aie pas peur de voir l'invisible, il est bon de converser avec les êtres qui nous ont abandonnés depuis très longtemps. Tu dois le sentir.

– Cela me fait peur.

Dehors, une colombe roucoulait et j'eus la chair de poule.

– Pourquoi ? As-tu peur de ce qui t'est arrivé ? Du fait que je ne sois pas réelle ? La vérité, ma fille, c'est que tu ne l'es pas toi non plus. Tu es un esprit que j'ai invoqué. Ceci n'est pas la réalité. N'abandonne pas Luján, qui est un homme bon. Quant à toi et moi, nous nous verrons un jour futur dans des conditions moins compliquées.

– Ce n'est pas vrai, mon Dieu, ça n'est pas possible ! m'écriai-je, possédée, mais ma bouche restait silencieuse, cousue de fil de fer. Luján, Luján, sauve-moi !

L'homme m'attrapa par la taille avant que je ne tombe évanouie, et il me murmura à l'oreille que j'étais magnifique dans cette robe safran. Je clignai des yeux, les ouvris, son parfum m'était inconnu, mais le mélange d'encens et d'extraits de lin m'enivrait. Nous dansions, dans un salon décoré de miroirs et de colonnes, les plafonds étaient clairs, et les lustres formaient d'immenses araignées de cristal. Je m'apprêtai à manifester mon étonnement quand Luján posa son doigt ganté de blanc sur mes lèvres, m'empêchant de continuer.

– Où sont donc passés Mimita et Leopoldo ? demandai-je malgré tout, en écartant sa main. Où sommes-nous, maintenant ?

Luján me montra un coin du salon rempli d'aristocrates titrés. Une dame très belle se rafraîchissait la poitrine avec un éventail de nacre et de plumes de paon. Vêtue d'un costume chimérique et d'une large cape dorée, elle nous fit un clin d'œil depuis un sofa de velours vert.

– Nous sommes invités à un bal. Ne reconnais-tu pas la dame ?

Je n'eus pas beaucoup d'efforts à faire.

– C'est mon arrière-grand-mère, bien sûr, c'est elle, sur la photo de ses dix-sept ans. Elle a toujours fait plus que son âge. Mais elle ne s'est jamais habillée ainsi. Elle était pauvre.

– C'est aussi Mimita.

Je voulus alors m'élancer vers elle, mais les couples de danseurs avancèrent dans notre direction, nous entraînant vers le côté opposé du gigantesque salon. Le changement de partenaire me fit passer aux mains d'un autre homme, poudré à outrance, moins grand que Luján, mais tout aussi séduisant. C'était Leopoldo ! Je souris, troublée. Il pouvait me voir, il n'était plus aveugle, ses yeux clairs se posèrent sur mes pupilles et j'en reçus un message familier. Quelqu'un d'autre m'attira par la taille. Les lumières s'éteignirent. À l'abri d'une tenture, un homme baisa mes lèvres, et cela me plut tant que je ne songeai pas une seconde à m'enfuir. La sensation fut intensément charnelle, il me mordit la bouche, le cou, les seins, il frotta son corps contre le mien, c'était très agréable, et ma fente se mouillait de joie crémeuse.

– Luján ! Que sommes-nous en train de faire ?

– Nous savourons cette pièce de théâtre.

J'ouvris les yeux. Je me trouvai assise dans un fauteuil d'orchestre du théâtre Martí, aujourd'hui disparu. Sur la scène, hommes et femmes dansaient dans un salon et un couple s'embrassait, caché derrière le rideau d'une des fenêtres qui donnait sur la terrasse. Luján posa sa main chaude et moite sur la mienne. Il me promit tout bas de m'offrir une glace à la noix de coco, avant que nous ne retournions, comme à notre habitude, sur le mur du Malecón, nous compter fleurette dans le bercement de la brise marine.

Le Pèlerin immobile

La rue Trocadéro semblait moins grise sous les feux de midi. Dans la maison aux colonnes torses donnant sur la rue, le Pèlerin immobile[1] s'était levé très tôt, et, après le petit déjeuner, il avait relu certaines lettres inachevées dans la bibliothèque. Sa mère et sa sœur cadette étaient parties rue Galiano, une artère commerçante, où elles comptaient déjeuner au Tencent. Quant à lui, il mangerait un morceau avec le père dans ce petit restaurant de la vieille Havane. Ou bien ils feraient un tour au bar La LLuvia de oro, pour échanger quelques mots avec le peintre Victor Manuel autour d'une bière bien fraîche.

Le père appela de la rue, derrière la grille de la fenêtre. Il portait sa soutane rose fanée par l'usage.

– Prince, je suis là, allons-y ! Mon prince ! Êtes-vous prêt pour le départ ?

1. Le poète, romancier et essayiste José Lezama Lima (1912-1976), auteur de *Paradiso. (N.d.T.)*

Le Pèlerin immobile parut, il se trouvait sous le linteau de la porte qui séparait le salon de la première chambre. Sa corpulence le rendait lent, il respirait mal, très mal, mais à un rythme poétique. Ou plutôt, sa respiration donnait à sa poésie une musicalité, une hésitation sensuelles.

– Mon père, vous êtes en avance, dit-il, en ouvrant la porte au curé.

– Pas du tout. Je suis pile à l'heure. On cassera la graine en route ; si nous nous arrêtons davantage, nous risquons d'arriver à la nuit tombante. Et la voiture fonctionne par l'opération du Saint-Esprit.

Cette dernière phrase déclencha un rire tonitruant du Pèlerin immobile. Le père demanda un verre d'eau, avec de la glace si possible. Le Pèlerin immobile alla vers le réfrigérateur, et lui versa la limonade *frappée** d'une carafe de cristal.

– Vous êtes bien sûr que nous n'aurons pas le temps de déjeuner substantiellement auparavant, de passer par la librairie de La Victoria, et de dire un *petit bonjour à Monsieur** Victor Manuel ?

– Si je vous écoutais, nous ne serions pas arrivés demain matin. Et je dois dire la messe cet après-midi, moi.

En sortant, le gros homme remarqua en gonflant ses poumons que l'air embaumait le santal et que les vers luisants virevoltaient en ordre pythagorique. Parvenu à la hauteur de la voiture déglinguée, le curé se vit contraint de pousser le Pèlerin immobile pour tenter de l'enfourner à la hussarde dans le siège trop étroit pour sa rondeur démesurée.

– Il me faudrait un chausse-pied géant pour

vous fourrer là-dedans. Vous auriez dû vous huiler le corps...

– Ne dites pas d'horreurs, coupa le Pèlerin immobile, mal à l'aise. Ne vous moquez pas de moi.

Ils démarrèrent et commencèrent la promenade le long du Malecón en se remémorant un poème d'Espronceda, mais, un instant plus tard, le Pèlerin immobile se mit à disserter sur Joyce et Proust. À hauteur du camp militaire Columbia, à Marianao, la voiture refusa de continuer le voyage. Le curé essaya de remettre le moteur en marche à plusieurs reprises, sans le moindre succès.

– Le moteur rend l'âme, soupira-t-il, passant la main dans ses cheveux humides de sueur.

– Allons, mon père, soulevez le capot et regardez ce qui se passe.

– Voyons, je n'y connais rien en mécanique !

– J'ai déjà pu observer que par cette simple cérémonie qui consiste à regarder à l'intérieur, en fixant le moteur des prunelles, on répare les voitures.

– Je vous en prie, vous êtes trop cryptique pour moi.

Le prêtre était à deux doigts de perdre patience. Finalement, un chauffeur de taxi eut pitié d'eux, et il les aida à réparer l'avarie. Ils le remercièrent chaudement en le quittant en direction de La Lisa, où ils déjeuneraient d'un sandwich, selon les plans du religieux. Le Pèlerin immobile n'osa pas desserrer les lèvres, même s'il se réjouissait que son compagnon pense au repas, car ses intestins avaient commencé à résonner d'une macabre symphonie.

Parvenus à La Lisa, dans un café, ils dévorèrent chacun un club-sandwich avec un verre de jus de canne à sucre débordant de mousse, et une tartine de pâte de goyave et de fromage frais. Pour finir, ils demandèrent un café, et le Pèlerin immobile alluma un cigare. La cendre des premières bouffées roula sur le plastron de sa chemise et s'entassa sur le pli formé contre sa poitrine par sa volumineuse bedaine. Sa veste de lin gris, où était tombée une petite étincelle du cigare, prit feu à la hauteur du revers. Le prêtre n'eut d'autre idée que de l'éteindre avec un peu d'eau qui restait dans un verre. Le Pèlerin immobile pensa que sa mère et sa sœur allaient se fâcher en voyant le trou indécent de son costume. Je suis un incorrigible étourdi, pensa-t-il.

Le soir tombait quand ils aperçurent la petite tour de l'église de Bauta. Le curé, plus détendu, voulut faire un clin d'œil littéraire à son ami :

– Pourquoi as-tu quitté la maison de ton père ?

– Pour souffrir, répondit l'homme à ses côtés.

Dans l'église, les sculptures d'Alfredo Lozano et les peintures de René Portocarrero donnaient l'image d'un bateau pris dans un ouragan. On n'avait pas l'impression d'entrer dans une chapelle, mais d'être happé par une vague et jeté au ralenti dans les flots. Le temps que le prêtre coure se changer pour dire la messe, le Pèlerin immobile installa son imposant postérieur sur un tabouret. Tenant entre ses doigts le cigare éteint, il posa les mains sur ses genoux, ferma les yeux et évoqua des fragments du poème de Zenea.

– Le malheureux ! Être fusillé à trente-neuf ans, alors qu'il commençait à peine à vivre ! s'exclama-t-il, en gardant les yeux fermés, pour empêcher ses larmes de jaillir.

Puis il se releva et commença à déambuler. Il

était étrange que, à six heures moins dix, l'église fût comme abandonnée. Brutalement il s'arrêta, croyant découvrir sur le sol le visage de sa sœur dessiné par des petits tas de cendre. Il s'approcha. C'était bien son visage, sans aucun doute, et de la pointe de son doigt il ramassa une couche de cette fine poussière, la sentit : c'était de la cendre de cigare. Il n'avait pas fumé à cet endroit. Comme surgi de l'ostensoir, un coup de vent parcourut la nef, et sur les dalles du sol se formèrent les mots :

Partir, résister, revenir.

Le Pèlerin immobile tomba à genoux devant le portrait de sa sœur entouré de ces mots énigmatiques. Ses lèvres s'ouvrirent pour épeler son nom :

– E-lo-y, E-lo-y !

Il dut se redresser, car les fidèles commençaient à arriver peu à peu. Malgré tous ses efforts, la messe ne parvint pas à lui rendre sa tranquillité. Il rentra le soir même dans la voiture du père. Quand il arriva à la maison du 162, rue Trocadéro, sa mère et sa sœur lui montrèrent leurs achats. Tout va bien, murmura-t-il intérieurement.

On était en 1949. Comme il était en train d'écrire un roman, il voulut interpréter ce qu'il avait vécu dans la petite chapelle de Bauta comme un symbole littéraire. Il posa sur les bras de son fauteuil la tablette sur laquelle il écrivait à la main, et il offrit le cosmos à ses mots.

Une décennie et demie plus tard, sa sœur se vit dans l'obligation d'abandonner le pays pour toujours. Sa mère allait mourir par la suite dans ses bras. Le cœur du Pèlerin immobile cessa de battre un 9 août 1976, à l'âge de soixante-cinq ans. Il ne put jamais obtenir l'autorisation de sortir du pays pour revoir Eloy, sa sœur bien-aimée.

Le Chevalier de Paris

Le Chevalier de Paris errait, perdu, dans une des rues de Luyanó, sa tignasse d'anglaises poisseuses flottant au vent. De sa barbichette grise pendaient du vermicelle et des restes de purée de haricots rouges. Il portait fièrement une cape noire, râpée et crasseuse. Il marchait tel un équilibriste sur le bord du trottoir, parlant tout seul, et heureux de le faire. Il confondait la cathédrale de La Havane avec Notre-Dame et se prenait parfois pour la réincarnation de Victor Hugo. Le Chevalier de Paris n'était pas parisien, mais espagnol. Il avait lui-même choisi cet aguichant pseudonyme. Il était mendiant, et on savait très peu de chose de son existence passée.

Traînant les pieds dans les flaques, il affirmait piétiner des étoiles ancestrales, et disait que sa maison avait la forme d'une lune de verre. Ce n'était pas la première fois que des femmes sortaient à leurs portes pour l'écouter, bouche bée, baragouiner en langue française. Son français de pacotille lui valait des admirateurs. Sur son passage, certains analphabètes, qui voulaient faire les importants, s'extasiaient :

– Aaaaah ! Quelle merveille, il parle même une langue !

Comme si le castillan n'en était pas une.

Le Chevalier de Paris essaya de leur fourguer des poèmes. Sortant de sa cape des petits rouleaux de papier, il proposa ses meilleurs vers, mais personne ne s'y intéressa, tous passèrent leur chemin. Un jeune homme distingué, ou plutôt un intrus, pensa le Chevalier de Paris en voyant les grands airs que se donnait le bon à rien, lui fit ce reproche :

– Pourquoi une telle misère ?

Il commença à lui répondre, d'abord tête basse, puis en la redressant peu à peu jusqu'à ce qu'elle dépasse le chapeau de l'effronté.

– *C'est la vie, mon cher !* lança-t-il, en citant un chachacha de la Orquesta Aragón, qui n'existait pas encore.

L'homme recula devant le mendiant fou. Un enfant timide, désireux de lui acheter deux vers, avança vers lui d'un pas mal assuré. Il posa sa main sur le front du pauvre homme, sa peau rugueuse était brûlante. Le garçon l'interrogea sur son âge, sur Paris. La pluie soudaine l'empêcha de poursuivre.

– Il a de la fièvre, maman, beaucoup de fièvre. Ça doit être la grippe, diagnostiqua l'enfant.

Le Chevalier de Paris se laissa tomber de fatigue sous une porte cochère, et se mit à mastiquer ce qui lui tombait sous la main, un caillou usé trouvé sur le trottoir. Le petit, enhardi, exigea de recevoir son fragment de poésie, car il l'avait payé.

Les lèvres du Chevalier de Paris bougèrent doucement :

Oisive jeunesse à tout asservie
Par délicatesse j'ai perdu ma vie.

La femme coupée en morceaux

L'amant avait quitté plus tôt que d'habitude son cours de biologie du corps humain à la Faculté de médecine. Il se dit qu'il ferait un saut jusqu'à la chambre de la femme qu'il adorait avant de regagner la maison où il vivait avec ses parents. Il était jeune, une vingtaine d'années, elle avait neuf ans de plus que lui. Ce n'était pas sa fiancée officielle, mais la femme qui l'avait initié sexuellement. Naïvement, il était tombé amoureux d'elle, et lui restait aussi fidèle qu'un bon chien. Il était issu d'un milieu aisé, et elle n'était pas digne qu'il la conduise à l'autel. Aussi sa mère avait été scandalisée quand elle avait appris la nature de ses amours. Son père lui interdit de la revoir quand il estima qu'il avait suffisamment trempé son biscuit. Mais il ne se sentait pas capable de renoncer à sa maîtresse, il ne cessait de penser une seconde à son adorable tourment. Il l'imaginait nue, et il bandait illico. Cette créature allait le rendre fou, prédisait sa mère. Et par amour pour elle, il en était venu à nourrir des sentiments criminels envers ses propres géniteurs.

Il tâta la clé dans sa poche ; il allait lui faire une belle surprise. Avant, il lui achèterait un parfum à El Encanto, cadeau qui la ferait fondre, pour qu'il puisse ensuite la savourer jusqu'à la dernière goutte. Il passa à la boutique, au coin des rues Galiano et San Rafael, puis prit un bus en direction de Calabazar. Elle ne risquait pas de s'attendre à sa visite, elle n'en reviendrait pas ! Dans le bus, l'image des seins et du pubis, du sexe pourpre offert et palpitant l'assaillit à nouveau. Il dut se diriger vers la porte arrière pour que personne ne remarque le gonflement obscène dans son pantalon. Lequel n'avait cependant pas échappé à une femme d'âge mûr, plutôt élégante, avec un sac à main et des chaussures de cuir.

– Alors, on hisse les couleurs, petit père ? souffla-t-elle discrètement en approchant sa bouche carminée de l'oreille de l'amant.

Il n'eut pas le temps de réagir, la porte automatique s'ouvrit à la station et la femme disparut dans la foule des voyageurs qui descendaient. Le bus se retrouva à moitié vide, et il put s'asseoir. À présent, c'était son sourire qui apparaissait, deux fossettes coquines se formaient sur ses joues. Cette femme ne t'aime pas du tout, ce n'est qu'une dévergondée, qui court après l'argent d'une bonne famille. Ses mains se crispèrent, et il pressa la bosse de son pantalon entre ses doigts. Et si son père avait raison ? Ces derniers temps, ils se querellaient très souvent, elle exigeait de lui des fiançailles officielles. Elle était orpheline, et sa tante qui l'avait élevée n'était pas d'accord, selon elle, pour qu'il la fréquente ainsi, comme une moins-que-rien. Elle ne vivait pas de l'air du temps. Elle travaillait et habitait seule une chambre louée. Elle n'était plus vierge quand il l'avait connue, car un fiancé avait abusé de son innocence. Telle était du moins l'histoire qu'elle lui avait racontée, celle qu'il avait voulu croire.

Elle ne savait pas qu'il possédait un double de la clé de sa chambre. Un jour, elle lui avait demandé d'acheter du pain pendant qu'elle se douchait, et elle lui avait donné la clé pour le cas où elle serait encore sous la douche quand il rentrerait. Au coin de la rue se trouvait un serrurier, et il avait fait faire un double sans rien lui dire.

Le bus le laissa juste au coin de l'immeuble. Il gravit prestement les marches. Il allait introduire la clé dans la serrure, quand il s'étonna de voir la porte céder : elle était ouverte. Il entra et la surprit couchée, nue sur le lit, les draps défaits. Le ventilateur faisait frémir les boucles sur son front. À moitié endormie, elle ne se troubla pas en entendant les pas :

– Tu n'es pas encore parti ? demanda-t-elle d'une voix teintée de reproche.

– Je viens d'arriver, répondit l'amant fou de jalousie. Qui était ici avec toi ?

Elle sauta du lit en se couvrant du drap. Il s'approcha d'elle lentement, l'air menaçant.

– Comme tu m'as fait peur ! Non, personne, en fait, je parlais à ma tante, elle vient de partir.

– Et depuis quand reçois-tu ta tante nue ?

Il fronça davantage les sourcils.

Elle allait dire quelque chose, il la saisit à la gorge, lui assénant une gifle qui la jeta au sol. L'empoignant par le cou, il la secoua et la lâcha à nouveau, sa tête se fendit contre l'angle d'un meuble et elle s'écroula, sans vie. À genoux, en larmes, il tenta de la ressusciter. Plein d'angoisse, il couvrait de baisers la bouche devenue rigide. Dans son désespoir, il se précipita vers la petite cuisine, et la première chose qu'il trouva fut un couteau à pain.

Il porta le corps et le coucha sur la table. Il commença par les doigts de pied, puis les pieds. Il arriva à la hauteur des genoux. Scier les rotules présentait certaines complications, le couteau ripait sur la chair avec un bruit insupportable, car sa lame était émoussée. Il fouilla dans les armoires, trouva une pierre à aiguiser et perfectionna son arme. Il trancha les cuisses. Arrivé aux mains, il avait déjà acquis une certaine maîtrise. Il mit dans un sac en plastique les bouts de bras. Il ne restait plus que le tronc et la tête. Il tenta bêtement de se laver les mains, il était couvert de sang, les éclaboussures avaient jailli jusqu'aux murs et au plafond. Il mit toute son application à s'occuper de la tête, qu'il découpa soigneusement, avec une délectation démentielle.

Une fois sa tâche terminée, il rangea méticuleusement les morceaux dans les sacs, qu'il plaça dans une valise. Il installa un tuyau sur le robinet, et à grande eau il effaça les traces et laissa la maison impeccable. Il se déshabilla : suivant les conseils de sa maîtresse, il avait toujours un costume de rechange dans l'armoire, au cas où ils décideraient d'aller au cabaret ou au restaurant. Il le passa. La nuit tomba, et il alla brûler les draps et ses vêtements souillés dans un terrain vague.

Quand il revint chercher la valise, il jeta un dernier coup d'œil à la chambre. Il se félicita de laisser son nid d'amour si resplendissant. Il réalisa enfin. Je l'ai tuée, je vais aller en prison ! Et pourtant je l'aimais ! Je l'aime ! L'émotion le submergeait, mais aucun muscle de son visage ne bougeait, il gardait les mâchoires serrées, les yeux fixés sur l'obscurité de la rue. Il souleva la grille d'un égout et jeta dans le trou une jambe de la femme. Et ainsi de suite. Il distribua le cadavre dans les bouches d'égout de différents quartiers. En proie à la nostalgie de ses baisers, il désira impérieusement conserver sa tête.

Derrière lui, une voiture de police faisait sa ronde, mais, avant d'arriver à sa hauteur, elle tourna à un coin de rue. Il arrivait au bord de la mer. Il ouvrit la valise, prit la tête et l'envoya dans l'eau comme on shoote un penalty.

Flor

Flor, la cadette, était la plus tourmentée des quatre enfants Loynaz, qui furent tous poètes, nés au début du XXe siècle. Sa mère la mit au monde en 1908. Elle adorait sa tante Virginia, qui se nourrissait exclusivement de roses. Chaque après-midi, assise dans le rocking-chair du jardin, Flor lisait Omar Khayyam. Femme d'une sensibilité très étrange pour son époque, elle fut capable de dédier des vers libres et des sonnets à son automobile, une Fiat de 1930, et au moteur de celle-ci :

À la « Bovina » : ma Fiat de 1930.

Montre-toi indifférente ou réfractaire
à l'éloge que tu as bien mérité :
assurément celui qui t'a ainsi vantée
ignore ton âme extraordinaire.

Âme qui à ton insu
s'est forgée en même temps que ton métal :
l'âme d'un titan enchaîné se terre
grande et soumise dans ta machinerie.

Je crains qu'un jour tu ne te rebelles
fatiguée de ma fragile tyrannie.
En attendant, tu avances vite quand je le veux

sans que jamais personne n'ose te rattraper.
Et moi, comme les autres, je suis jalouse
car j'envie ton cœur d'acier !

1935[1]

Elle écrivait des vers à des choses insolites, sur une fine feuille de papier que lui offrit sa sœur Dulce María, l'aînée. Quand elle dut se faire opérer, la veille de l'intervention, elle puisa son inspiration dans son angoisse de la transfusion de sang et de la mort. Il existe des poèmes à ses chiens, aux feuillets de verre de deux fenêtres, à une radiographie... Ses thèmes étaient aussi imprévisibles que sa vie.

Cela se passa lors d'une de ces étranges matinées où une brume mystérieuse enveloppait la demeure de Flor. Elle devait avoir vingt printemps. Après qu'elle se fut lavé le visage, le miroir lui renvoya l'image d'une jeune fille fort belle. Elle eut envie d'être laide. Elle se dit qu'elle ne voulait pour rien au monde attirer les hommes. Quelle tête aurait-elle sans cheveux, totalement chauve ? Comme une boule de cristal. Le mieux serait peut-être de s'arracher une dent du milieu, ou de faire sortir un œil de son orbite avec la pointe de ciseaux, ou se couper l'oreille d'un coup avec la machette du jardinier. Mais tout cela causerait des douleurs insupportables, et elle détestait l'humiliation de la souffrance physique.

1. Hermanos Loynaz, *Alas en la sombra,* Valladolid, Excma Diputación Provincial, Fundación Jorge Guillén, 1995.

Elle alla d'abord à l'armoire à chapeaux et les fourra tous dans un sac, avant d'en faire un bûcher dans le patio de la maison : plus aucun couvre-chef, rien qui puisse lui ôter la moindre laideur. Ensuite, elle retourna dans la salle de bains, où elle remplit une cuvette de porcelaine d'eau tiède et déroba le rasoir de son frère Enrique. Ses cheveux étaient raides et très fins, et elle n'eut aucun mal à les couper au carré au-dessus de sa nuque. Cela ne lui allait pas trop mal. Ni trop bien. Voyant qu'elle était encore séduisante, elle continua de donner des coups de ciseaux par-ci par-là, faisant des trous qui laissaient à nu son crâne blanc.

– Je dois en arriver à me dégoûter moi-même, se dit-elle avec une grimace qui lui déforma le visage. Le mieux serait une paralysie faciale, mais ce n'est pas facile à provoquer. Pour le moment, commençons par la boule à zéro, et après, on verra.

Elle prépara de l'eau savonneuse, bien qu'elle fût déjà presque déplumée. Elle mit une lame neuve au rasoir et commença à la passer sur son crâne en dessinant des lignes, ou des routes, dans la surface mousseuse. À un moment, le rasoir se coinça, éraflant le cuir chevelu, et les bulles de savon se teintèrent de sang. La coupure ne lui faisait pas mal, elle brûlait, plutôt. Elle versa de l'alcool sur sa blessure. Ses dents grincèrent, avec un bruit de chat qui se hérisse de colère face à un chien enragé.

C'était étrange de se palper la tête rasée sous l'eau froide du broc. Elle se sécha avec une serviette en frictionnant légèrement ; la blessure saignait encore. Elle y appliqua une poignée de sucre, puis colla dessus un sparadrap. Devant le miroir, elle rit d'elle-même : elle ressemblait à une boule de billard. Il manquait juste un détail, et en deux coups de rasoir horizontaux, elle fit disparaître ses sourcils. Elle observa les poils collés à la lame. Cette fois, elle se trouva vraiment laide à faire peur.

Elle apparut ainsi, crâne rasé, à un dîner donné par une des familles les plus huppées des faubourgs de la ville. Tous les yeux se posèrent sur sa tête et sur ses invisibles sourcils, un silence de mort se fit, mais personne n'osa souffler mot. Assise comme si de rien n'était entre deux dames qui pouvaient à peine contenir leur étonnement, elle sourit en saluant avec élégance, d'une inclination de tête. Les dames, piquées de curiosité, ne cessaient de changer leurs couverts de place et de regarder du coin de l'œil la nouvelle venue.

– Vous allez bien, mademoiselle Flor ?

– Divinement, répondit l'intéressée.

– Cette nouvelle coiffure vous va à ravir, hum, risqua sa voisine de droite.

Alors, Flor dodelina de la tête comme si elle avait encore sa coupe au carré, elle fit deux gestes délicats de la main de part et d'autre de son cou, comme si elle repoussait des mèches en arrière, et lâcha une phrase légendaire qui devrait faire rire des générations de Havanais :

– C'est surtout très frais. Avec les chaleurs qu'on doit endurer dans ce pays...

Et elle refit comme si elle rejetait ses cheveux en arrière.

– Ah, comme c'est frais !

Surtout, la nouvelle coiffure tint ses promesses. Sa folie, plus que sa laideur, fit qu'aucun homme n'osa jamais l'approcher.

Enrique

Le deuxième des enfants Loynaz avait une peur panique du soleil. Il ne sortait presque jamais dans la rue, pour ne pas être blessé par ses rayons. C'est pourquoi il avait la peau pâle, et des yeux clairs, si sensibles au moindre éclat de lumière qu'ils rougissaient très facilement. Ses cheveux fins et délicats avaient la texture de la soie. En revanche, Enrique aimait la lune. C'était un fils de la nuit. Son désir le plus cher est resté gravé dans un de ses poèmes : *Être un clair de lune sur la mer.*

S'il aimait la lumière divine de la lune, il fuyait l'astre du jour, qui avait pour lui l'éclat aveuglant de la mort.

Ce ne fut pas la seule fois que la nuit le surprit se promenant sur le quai de Luz, endroit qui lui était familier malgré sa réputation de mauvais lieu. Il souhaitait aspirer l'odeur du goudron du port, éprouver la sensation de marcher sur une corde raide, au bord de l'abîme.

– Fe-de-ri-co..., murmura-t-il en évoquant son ami Federico García Lorca.

– La flèche fend l'air tout droit...
(perdue !)
– Ainsi passa dressée
ta vie.

Tel était son hommage intime au poète andalou : déambuler dans les rues les plus chaudes de la ville, en pleine nuit, et susurrer dans l'obscurité les vers qu'il lui avait dédiés.

... La flèche courbe et ensommeillée passe
et – pour toujours –
elle se plante.
Où ? en ton cœur, ami ardent.

Enrique remarqua un corps vautré sur le sol, sans nul doute un être humain qui s'efforçait de se mettre debout. Il lui vint en aide mais reçut, pour toute réponse, une volée de coups. L'ivrogne le repoussa d'une voix rauque.

– Dégage de là, je me débrouille tout seul !

Il l'écarta encore, comme il tentait à nouveau de le soulever.

L'ivrogne empestait l'urine et la merde séchée. Finalement, après une dizaine de tentatives, il parvint à se mettre en position verticale, en s'adossant au mur. Enrique eut peine à distinguer un visage sous la croûte de crasse et l'enchevêtrement de poils de barbe et de cheveux hirsutes.

– Je te reconnais, enfant de salaud ! lui jeta au visage l'ivrogne.

– Restez poli. Je ne vous connais absolument pas.

Enrique tenta de s'éloigner, mais le type l'attrapa par la manche.

– Écoute donc une minute, tu vas voir, tu es un

de ces mélancoliques qui ravagent cette putain de ville. Un sale connard, un moins-que-rien qui n'a jamais été foutu de mettre une raclée à un homme, un vrai. Bouge d'un millimètre, et je t'arrache le foie d'un coup de couteau.

– Vous délirez, mon brave, restez calme, je ne vous ai rien fait. J'ai été très courtois avec vous.

L'ivrogne saisit par le goulot une bouteille cassée et le lui planta à hauteur du foie. Enrique ne bougea pas.

– Je te dis que je te connais, poète foireux. T'es du genre à passer ton temps à rêver à des saloperies, à croire à la liberté et à toutes ces conneries. Je te hais, sale pédé, et je suis pas le seul !

Il crachait ces mots dans l'oreille d'Enrique tandis qu'un filet de sang s'échappait du flanc du poète, où il enfonçait de plus en plus le tesson. Enrique le laissa s'enhardir et, alors que l'autre se grisait d'insultes, il recula d'un bond et lui flanqua un coup de pied dans les testicules.

– Je n'avais pas l'intention d'être violent, surtout avec un ivrogne qui raconte n'importe quoi.

– Je ne suis pas rond, je t'attends depuis des jours et des jours, connard !

Le type tenta à grand-peine de se redresser pour se jeter sur lui.

Enrique s'éloigna avec des envies de lui tordre le cou, mais il préféra le laisser étendu dans sa propre flaque d'excréments. À la lueur d'un réverbère, il examina sa blessure. Elle mesurait une dizaine de centimètres et saignait assez abondamment. Ses mains et son visage se glacèrent, plus en raison du choc que du sang perdu. Il n'avait pas vraiment mal. Il écarta la plaie de deux doigts, comme s'il s'agissait de la peau d'un autre. Il chercha sa voiture puis, une fois à bord, remonta le Malecón vers le quartier du Vedado.

Chez lui, il alla directement à l'armoire à pharmacie et nettoya la plaie avec de l'eau oxygénée et de l'alcool. Il n'osait pas aller à l'hôpital, il détestait le spectacle sanglant des urgences à cette heure de la nuit. La coupure était moins large que profonde, et lorsqu'il l'ouvrit, un morceau de chair blanche s'échappa. Il chercha dans un coffre le nécessaire à couture de Flor. Il désinfecta une aiguille à coudre à la flamme d'une bougie, y introduisit un fil et cousit lui-même la déchirure.

La lumière du soleil le surprit assis sur le rebord de la fenêtre, les yeux perdus dans ses souvenirs. Dans la bouche, des mots terribles :

– Parce qu'elle fut courbe et colorée,
de jours et de nuits,
d'étincelles et d'étoiles
cette flèche
faite
pour l'immensité d'un autre et pour la tienne.
(Parce que ta flèche fut de plombs,
si LÉGERS...)

Fe-de-ri-co
(Étranger déjà et pâli.)
Maintenant
il manque... la flèche des marins ;
fine pointe acérée
qui erre vers l'Oubli,
au petit jour.

Carlos Manuel

Une nuit, le troisième des enfants Loynaz se réveilla de très méchante humeur. Il détestait les poèmes qu'il avait écrits, le sexe le dégoûtait et les aboiements des chiens le mettaient hors de lui. Il décida que, s'il en était arrivé à mépriser ce qu'il aimait le plus, la poésie, le sexe et la race canine, c'est qu'il se trouvait dans le monde des morts.

– Je suis mort, et personne ne s'en est rendu compte, pas même moi.

Le matin venu, il alla au portail de la maison, où il vit sa sœur Dulce María plongée dans la lecture. Plus loin, s'abritant d'une ombrelle aux couleurs vives, Enrique tentait de gauler des fruits du manguier. Flor, couverte de cambouis de la tête aux pieds, réparait sa Fiat. Personne ne prêta attention à sa présence, donc il n'existait pas. Il se dirigea vers la cuisine, où il demanda à Angelina, la gouvernante, de lui servir un jus de melon. Mais Angelina était devenue aveugle et sourde du jour au lendemain, et elle ne remarqua pas non plus cet homme qui battait des mains autour d'elle.

– Me voilà devenu une non-personne, le néant à moi tout seul, se dit-il tout en se servant le jus dans un verre de cristal rosé.

Il emporta dans sa chambre des instruments de menuiserie et passa la journée entière à transformer son lit en sarcophage. Le travail fut épuisant, mais il réussit à le terminer dès le lendemain. Il disposa des bougies tout autour. Avant de se coucher dans le cercueil, il prit un bon bain, se parfuma et mit son costume des jours de fête. Il brûla ses écrits, cachant juste quelques poèmes qui lui étaient très chers sous l'oreiller où reposerait sa tête. Il écrivit à ses frères et sœurs une lettre, pour leur dire un dernier adieu. Il n'avait d'autre choix que d'accepter sa non-existence, et il les pria de ne pas le déranger par des frivolités, fût-ce en le mentionnant dans leurs souvenirs agréables. Il vida une bouteille de cognac et se mit au lit.

Son frère et ses sœurs, qui le trouvèrent ainsi, n'osèrent le contredire. Plusieurs mois s'écoulèrent de la sorte, et Carlos Manuel resta en position horizontale, dans l'obscurité totale, plus mort que vif, écoutant, impassible, les pas familiers de la maison.

Dulce

Dans la résidence située au coin des rues E et 19, à dix heures du soir, toutes les lumières étaient éteintes, sauf la faible ampoule de la cuisine. Assise devant une tasse de café au lait, la vieille dame examinait la correspondance. Les lettres arrivaient très en retard ; elle se dit ironiquement que, dans les îles, tout lambinait. Elle prit le crayon, à défaut de plume ou de stylo, et commença à écrire une réponse sur une feuille jaunie. Elle avait choisi cet enfermement depuis des années. Le monde extérieur lui était absolument étranger. Sa figure, assez altière pour son grand âge, se profilait depuis la rue, derrière les vitres sans rideaux des fenêtres.

De la rue E, deux hommes observaient attentivement les mouvements de Dulce :

– Voilà la vieille. La maison est un trésor. Elle est bourrée d'or, d'argent, d'objets anciens qui valent des fortunes. Faut juste bien étudier ce qu'elle fait la nuit. C'est une vieille chouette, elle ne ferme jamais l'œil. En plus, va falloir empoisonner tous ses chiens. Pour qui elle se prend, la sorcière ? Pour San Lázaro ? Elle vit entourée de chiens à longueur de journée, ils la lâchent pas une minute, même quand elle va pisser.

– Je m'en occupe, je m'y connais pour éliminer les chiens et les vioques. Le tout, c'est de trouver un camion pour charger la marchandise, observa son comparse, sans quitter la maison des yeux.

– T'inquiète. Un de mes potes est prêt à me refiler un véhicule du gouvernement, avec les papiers et tout.

La vieille femme se servit un verre d'eau froide, le lait concentré lui laissait un goût désagréable dans la gorge. Elle relut ce qu'elle venait d'écrire :

La Havane, le 18 août 1982.

Ma jeune amie,

Merci pour les lignes que vous m'avez envoyées, et pour la gentillesse que vous avez eue de lire l'article de J. R. J[1]*. J'en avais besoin pour me réconcilier après tant d'années avec la légèreté dont le poète fait preuve à notre sujet, ce qui est nouveau de sa part.*

Je sais bien que vous allez protester et me dire ce que d'autres m'ont déjà dit, qu'au contraire c'était la seule manière, la plus juste, d'interpréter le monde surréaliste dans lequel nous vivions alors, où nous pouvions alors nous permettre le luxe de vivre. Vous pouvez y ajouter ce que j'ai aussi entendu, à savoir que J. R. nous faisait un grand honneur en s'occupant de nous, avec une attention qu'il ne consacrait à personne, ou presque.

À cette dernière considération, je n'ai rien à répondre, et, comme je l'accepte ainsi, nous devons vivre avec une éternelle reconnaissance envers le poète de Platero, *même*

1. L'écrivain espagnol Juan Ramón Jiménez (1881-1958), auteur de *Platero y yo. (N.d.T.)*

si, au départ, la façon peu sérieuse – selon nous – dont il nous a traités a pu nous déplaire.

Ainsi, mon amie... vous ne devez pas trop regretter de n'avoir pas été présente cet après-midi fantasmagorique, entre autres parce que, si vous y aviez été, vous auriez maintenant au moins soixante-cinq ans, ce qui ne serait guère agréable pour vous, ni pour monsieur votre époux. Imaginez-le, comme vous l'avez fait, car les choses que l'on imagine sont toujours plus belles que leur réalité.

En espérant également vous avoir consolée par ces réflexions, tout comme vous m'avez consolée de la saveur aigre-douce que m'avait laissée la fameuse chronique, je reste votre amie sincère.

Dulce María Loynaz[1].

P- S. : Naturellement, vous pouvez être Bárbara ; à votre âge, cela n'est pas difficile, et je suis sûre que, dans une telle atmosphère, vous vous comporteriez comme elle. Mais vous êtes plus intelligente que Bárbara qui, en y réfléchissant bien, ne l'était peut-être pas tant que ça.

Elle glissa la lettre dans l'enveloppe, la ferma et la plaça dans le panier destiné à la correspondance que son frère posterait à l'aube. Elle sentit une démangeaison dans la nuque, et se gratta le dos à l'aide d'une petite main de bois. Tournant le visage vers la rue, elle eut juste le temps de distinguer deux ombres qui couraient se cacher derrière un « taille-crayon », ou *suppo* – ainsi appelait-on les voitures cubaines, de vrais pots de yaourt –, appartenant au médecin de famille du quartier.

– Encore des imbéciles qui rêvent de mettre la maison à sac. (Elle secoua la tête avec lassitude.) Les pauvres ! Ils ne savent pas ce que c'est que de se trouver nez à nez avec la fille d'un général.

Le jeudi, elle attendit, assise à l'entrée de la mai-

1. La poétesse Dulce María Loynaz (1902-1997), prix Cervantès 1992. *(Lettres à l'auteur.)*

son, la jeune fille qui lui avait promis dans une lettre de lui rendre visite. À ses côtés, Angelina, sa gouvernante aveugle et sourde, jouait avec un porte-clés, tandis que Peguy, la cousine suicidaire, chantonnait. Il était juste cinq heures de l'après-midi, l'heure convenue, quand la jeune fille traversa le jardin pour s'asseoir en face de l'écrivain, sur un banc de pierre. Après les salutations d'usage, Peguy se retira, en tenant par la main Angelina. Et Dulce Maria engagea la conversation avec la débutante. Elle parla de son voyage en Égypte, de la façon dont elle s'était sentie bouleversée face à la tombe de l'ancien roi Toutankhamon, qui lui avait inspiré un magnifique poème. Elle lui fit un récit exhaustif de tous ses voyages, où prédominaient les souvenirs de Tenerife et de Paris. La jeune fille lui avait apporté en cadeau un sac à main moderne et bon marché, à la mesure de ses maigres économies. La dame la remercia et en profita pour glisser qu'elle adorait les chocolats. Au bout d'un moment, elle se leva, et, en l'assurant qu'elle ne serait pas longue, disparut par la porte d'une chambre. La visiteuse fixa son attention sur la collection de vieux éventails, véritables trésors de dentelle et de nacre, brodés de fils d'or et d'argent, qui se trouvaient dans des vitrines encastrées dans le mur de la maison. Dulce revint bientôt, et, avant de retourner s'asseoir dans le fauteuil à bascule, elle donna à son invitée un petit sac tissé de fils d'argent.

– Je l'ai porté pendant mon séjour à Paris, pendant les terribles années quarante, vous pouvez le garder en souvenir.

– Non, je vous en prie, je ne peux pas accepter, il est trop beau.

– Acceptez-le, c'est un ordre, dit-elle, pour couper court à toute hésitation.

Dans son embarras, la jeune femme baissa les yeux ; il y eut un long silence, que l'écrivain consacrée rompit pour annoncer qu'un ange était passé. L'invitée sourit, et, tout en caressant le cadeau, osa, sans grand espoir, demander des éclaircissements sur quelques personnages du roman *Jardín*. Mais les mots de la réponse furent prononcés avec délice, comme avec le désir de broder au fond de la mémoire. L'écrivain parla en premier du personnage de la tante, qui se plante une épingle à chapeau dans la poitrine pour se donner la mort après une déception amoureuse, la disparition de son fiancé.

La nuit tombait, et la femme prit brusquement congé. La jeune fille allait l'embrasser sur la joue, mais son hôte se retira immédiatement. Les chiens, qui avaient aboyé quand elle s'était approchée, escortèrent la visiteuse jusqu'à la porte du jardin. Elle parcourut quelques pâtés de maisons ; c'était l'heure des coupures d'électricité. Le seul éclairage était celui de la lune ronde. Les arbres bougeaient mélodieusement au-dessus de sa tête, et elle avança en contemplant les étoiles. Elle entendit soudain des voix :

– Les chiens, on leur lancera des saucisses au verre pilé. La vieille a déjà un pied dans la tombe, un coup de batte sur la tête devrait suffire.

– Ne crois pas ça, ces mémères qui carburent au café au lait sont les plus dures à cuire. Tu crois pas qu'on devrait l'étrangler avec une corde, et l'accrocher au plafond, pour que ça ressemble à un suicide ? Et pis, tu comptes les trouver où, tes saucisses ?

La conversation provenait d'un garage converti

en lieu d'habitation, dans l'une de ces maisons du Vedado devenues des *solares.* La porte était ouverte à cause de la chaleur accablante, et l'on pouvait apercevoir les longues jambes de deux hommes qui, assis dans des fauteuils, buvaient de la bière chaude à la lueur d'une bougie. En proie à une montée d'adrénaline, la jeune fille s'approcha discrètement, déjà transformée par son imagination romanesque en héroïne d'Agatha Christie.

– Faudrait qu'on s'active. Ce soir, on va jeter un coup d'œil dans les chambres, elles sont peut-être habitées. Faut aussi voir la distance entre la niche des chiens et l'entrée...

L'un des hommes se tut au moment où le pied de la femme se posa sur un tapis de feuilles sèches. L'autre lui signala le bruit. Elle dut se cacher derrière un arbre.

– Y a personne, mon vieux. Tu débloques, ma parole, tu as des visions.

Les délinquants s'éclipsèrent en laissant la porte ouverte, après avoir dit au revoir à une certaine Adela, qui devait être couchée. Ils passèrent en frôlant presque la jeune fille, sans remarquer sa présence. Elle les vit s'éloigner avec soulagement. Mais ses soupçons se confirmèrent : ils se dirigeaient vers la maison de son amie. Elle devait la prévenir. Elle courut vers la rue Línea, à la recherche d'une cabine téléphonique, mais aucun appareil ne fonctionnait. Elle revint alors sur ses pas, en faisant le tour de la maison, de façon à entrer par le côté opposé. Elle essaya d'ouvrir la grille, en vain. Les voleurs faisaient le guet plus loin et ne se rendirent même pas compte qu'elle tentait de pénétrer dans la résidence, jusqu'à ce qu'ils l'entendent crier le nom de la propriétaire des lieux :

– Dulce, Dulce, ouvrez, c'est moi ! Dulce, je vous en prie, ouvrez-moi !

Mais Dulce s'était mis des boules Quies, et elle avait pris un puissant somnifère, chose très rare chez elle, qui était fière de son caractère noctambule. La jeune fille songea à prévenir la police, mais elle n'avait pas d'indice tangible, on la prendrait pour une folle. Elle distingua alors deux ombres qui s'enfuyaient avec une souplesse de panthère vers la rue 23. Elle poussa un soupir, le cœur au bord des lèvres. Et s'ils revenaient ? Elle resta là plus d'une heure à attendre, avant de rentrer chez elle.

Très tôt le lendemain matin, elle téléphona à la demeure. Cela sonnait occupé en permanence, ce qui accrut son inquiétude. Elle prit un bus et se présenta sans prévenir auprès de la vieille dame. Elle savait que Dulce n'appréciait pas ce genre de surprises. Elle eut beau frapper, appeler, faire le tour de la maison, personne ne répondit, et le plus étrange fut qu'aucune des portes alentour ne s'ouvrit. On aurait dit que les gens avaient abandonné leurs maisons. Le désespoir s'empara d'elle. Elle s'en retourna, la tête basse. Dans sa chambre, elle écrivit une lettre qu'elle posta immédiatement.

Ma jeune amie,

Merci, merci beaucoup pour tout, pour cette belle lettre, pour cette dédicace quelque peu énigmatique, pour ce poème et cette gravure où le cheval révèle la tragédie.

Dans le poème, vous atteignez ce que l'on appelle la lévitation, cette étrange faculté dont jouissent seulement les mystiques et les poètes, et peut-être les épileptiques, qui sont des êtres à part, un pied ici et l'autre là...

Je ne parle pas, naturellement, de ceux qui, pour y parvenir, ont recours à des trucages de foire ou s'enveloppent dans un nuage de fumée destiné à cacher le néant dans lequel se déroulent leurs artifices.

Grâce à cette faculté, vous avez réussi à vous approcher du héros, à parler avec lui, ou plus exactement avec son portrait, et encore, à travers un foulard.

Cela suffit..., cela fait beaucoup dans votre cas, car vous êtes à la fois timide et passionnée, comme je l'étais moi-même à votre âge lorsque j'ai écrit ma lettre au roi d'Égypte. Ce fut aussi de la lévitation, car, lorsque le poète ne parvient pas à approcher Dieu, il s'approche de la mort. Elle est plus près.

J'ai été plus loin que vous, et si ma passion pour Toutankhamon n'a pas duré plus d'une nuit, pendant ces quelques heures, j'ai pu l'aimer intensément, comme, peut-être – peut-être –, je n'ai jamais aimé un homme de chair et de sang pendant des années.

Le fruit de cette pâmoison, mi-sensuelle mi-onirique, fut la « Lettre[1] *». J'aimerais aujourd'hui croire qu'elle devra, tout comme son destinataire, transcender un jour les barrières du temps et de l'espace. Mais, quand bien même cela ne serait pas, de toute façon cette fragile missive vivra plus qu'un fils.*

Vous voyez..., comme vous et moi, partant de points si distants, nous avons mis le cap sur le même objectif : la mort, la mystérieuse et fascinante mort qui ressemble tant à l'amour.

Merci aussi pour la constance de votre souvenir.

Votre

Dulce María Loynaz.

P.-S. : Vous dites que vous souhaiteriez converser à nouveau avec moi, parce que vous vous sentez plus proche de mon œuvre que de ma personne. Mais mon œuvre, comme c'est le cas pour tant de poètes, n'est-elle pas bien supérieure à ma personne ? Si vous n'avez pas choisi celle-ci, vous avez pris la meilleure part, car je ne suis plus qu'une vieille irritable que bien des choses mortifient, notamment le fait d'avoir survécu à mon temps, à mes proches, à moi-même.

1. Dulce María Loynaz, *Carta de amor a Tut-Ank-Ammen*, Madrid, Colección Palma, Serie americana, 1958.

La jeune femme lut cette réponse à sa lettre, reçue deux jours plus tard. Deux longues journées angoissantes. La lettre ne faisait absolument pas allusion à ce qu'elle lui avait dit de la conversation qu'elle avait surprise entre les voleurs tramant son assassinat et le cambriolage de sa maison. L'erreur avait peut-être été d'y joindre le poème à Céspedes, qui avait eu pour effet de détourner l'attention de la vieille dame du sujet le plus important : les noirs desseins de ces maudits malfrats.

Elle tenta à nouveau de la joindre par téléphone. La voix cassée de Dulce María se fit enfin entendre.

– Je déteste le téléphone. Venez, venez aujourd'hui même me rendre visite. À cinq heures juste. Et arrêtez de crier, je ne suis pas sourde.

– Mais je vous entends à peine, Dulce, je vous appelle de l'épicerie de la rue Mercaderes, il y a de la friture sur la ligne.

À l'autre bout, après avoir répété qu'elle l'attendrait en fin d'après-midi, son interlocutrice raccrocha d'un coup le combiné.

– Vous semblez très nerveuse ; ne vous inquiétez pas pour moi, personne ne me fera de mal si je ne le veux pas.

Tels furent les mots de Dulce María à la jeune fille crispée assise en face d'elle sur le banc du jardin.

– Mais... J'ai cru qu'ils pourraient...

– M'assassiner. (La vieille dame termina la phrase.) Et vous avez eu peur, et vous êtes venue me sauver. Je vous en suis reconnaissante. Mais ne cherchez pas à me défendre, je peux encore le faire seule. J'avais remarqué la présence de ces deux ordures qui m'épiaient tous les soirs. Ils sont déjà en prison, ou sur le point d'y être. Bien sûr, sous peu, ils ne tarderont pas à se retrouver dans la rue. Ici, tout le monde vole et assassine, la prison est une espèce de colonie de vacances pour voleurs, ce qui n'est pas le cas pour les prisonniers politiques, certes... Ne me demandez pas comment j'ai fait, ou plutôt comment nous avons fait, car j'ai reçu l'aide de Peguy, et de ma bonne Angelina, qui, en cas d'urgence est encore utile, et de mes chiens... Ah, s'il n'y avait pas mes chiens adorés ! Le jour où je n'aurai pas de quoi les nourrir, je les tuerai d'un coup de fusil, puis je me tirerai une balle. Racontez-moi donc quelque chose de distrayant sur cette rue, qui est visiblement toujours aussi ennuyeuse.

Elle resta muette devant les paroles de l'écrivain. Son visage reflétait une telle paix qu'elle fut convaincue que, comme elle le disait, la menace de mort de ces vauriens était une affaire classée. Elle retrouva son calme, ses doigts cessèrent de jouer nerveusement avec les pans de son corsage de coton rouge. Peguy apparut avec un plateau ; elle leur apportait du thé froid avec deux tranches de pamplemousse et des biscuits. Elles burent sans presque parler, les yeux perdus sur les dalles du sol. La quiétude évoquait un après-midi de prière dans une nef humide, tandis qu'au-dehors une paresseuse flambée de soleil sombre dans l'horizon marin.

– Dulce, je vais bientôt partir à Paris. Et le fait de laisser ma famille, mes amis, parmi lesquels vous occupez une place unique et privilégiée, me remplit d'une tristesse proche de la douleur physique.

– Allez-vous-en de cette saleté, vous êtes jeune et vous avez besoin de connaître le monde. Moi, je l'ai déjà fait, et personne ne me fera bouger d'ici. Je suis une adepte des mortifications, c'est pourquoi je reste...

Elles ne s'embrassèrent pas non plus cet après-midi-là, qui était pourtant celui des adieux définitifs. Dulce lui fit cadeau de l'édition princeps de ses livres, qu'elle lui dédicaça. Elle emporta l'image de la peau douce, constellée de taches de rousseur et ferme encore, des bras de la vieille femme. En arrivant chez elle, elle rédigea une nouvelle lettre, concise mais teintée d'émotion, où elle déclarait à son amie l'admiration et l'amour qu'elle lui vouait. Elle dut attendre trois jours avant de recevoir la réponse :

> *Ma jeune amie : votre petite lettre est une merveille par son contenu et son contenant. Merci pour elle et merci de vous souvenir de moi, bien que vous me connaissiez fort peu.*
>
> *Je comprends que vous vous sentiez vaguement anxieuse à l'idée d'un voyage si long. Quand je voyageais, je savais ce qui m'attendait dans le pays où j'allais, mais maintenant, on ne sait plus rien.*
>
> *Mais on ne sait pas non plus ce qui nous attend là où nous restons. Donc, cela revient au même.*
>
> *Prenez donc courage et pensez du mieux que le peuvent vos vingt années, c'est ce que vous souhaite, du haut des siennes, votre vieille amie qui ne vous oublie pas,*
>
> *Dulce María.*
>
> *P.-S. : Ce petit écusson cubain m'enchante. Où trouvez-vous tant de jolies choses ?*

Elle eut envie de défaire sa valise, de courir chez Dulce, et de ne plus jamais la quitter. Quand elle remit son passeport à l'employé de la douane, le présent se brouilla de larmes. La frêle silhouette de son amie, malgré la force indestructible qu'elle s'efforçait d'afficher, ne quitta pas son esprit. Les dernières images de l'île vinrent à elle comme un tableau impressionniste. La pluie et les pleurs furent les auteurs du paysage.

La reine de la rumba

À Paris, elle avait appris à danser à Joséphine Baker. Alors qu'elle était encore presque une enfant, Alicia Parlá avait déjà dansé pour le prince Édouard d'Angleterre. Maurice Chevalier lui fit des avances. La petite Cubaine, que les journaux français appelaient Marianne, était fascinée par le showman, mais elle ne permit pas qu'un des hommes les plus célèbres, amant de Marlène Dietrich, se permette des privautés à son égard. Elle fit la connaissance d'Hemingway à Paris, à l'époque où la ville était encore « une fête ». De 1931 à 1934, elle fut sacrée reine de la rumba en Europe et aux États-Unis. Enfant précoce, elle savait dès l'âge de neuf ans que sa passion était de danser, se trémousser de la taille et des hanches, se désosser au rythme de la conga.

En 1930, elle prit des cours de danse avec un professeur de New York, qui fit son éloge et développa ses dons naturels. Au sortir de l'adolescence, on lui offrit une place de vendeuse de cigarettes dans un night-club de Greenwich Village. Sa mère lui opposa un refus catégorique et poussa de hauts cris devant son entêtement à vouloir travailler dans cet antre de perdition. Le père – qui se trouvait encore à La Havane – la tuerait s'il apprenait qu'elle avait accepté une abomination pareille. Alicia, dix-sept ans, insista avec fougue, parla de se suicider, et la mère finit par céder. Un soir, la danseuse espagnole du cabaret tomba malade, Alicia réussit à convaincre le patron et sa mère – qui l'accompagnait tous les soirs pour s'assurer que rien de fâcheux ne se passait dans son dos – de la laisser danser une rumba cubaine. Et elle la dansa. Ses merveilleuses hanches et son large sourire rendirent le public fou. Se déhancher et rire. Le succès commença ainsi, bien avant les tournées mondiales et les photos au bras de célébrités... Sa première représentation eut lieu dans la salle de la Paramount, sa chanson fétiche, *El Manisero*, devint dès lors un triomphe national, l'orchestre et la troupe partirent en tournée à travers les États-Unis. Ensuite, elle dansa avec un autre orchestre à Central Park, puis se rendit à Boston. Son père, prévenu des événements, n'eut pas le temps de donner libre cours à sa colère, car la mère et la fille étaient déjà en partance pour Monte Carlo. Alicia Parlá fut la première à danser la rumba dans un casino. Puis ce fut le tour de Berlin et Paris, où elle se produisit le 14 juillet 1932.

Plus tard, elle retourna à Cuba, à Pinar del Río, où elle se maria et eut une fille. Lassée des incartades de son mari, elle divorça pour aller vivre à La Havane. Accro aux midis ardents de la taverne Sloppy Joe's, elle gagnait religieusement ce lieu chaque jour avec sa petite Ileana. Elle l'avait nourrie presque uniquement à base de biberons de Bloody Mary.

La petite s'asseyait sur le repose-pieds doré du comptoir et jouait avec les chaussettes des consommateurs. Agitant ses anglaises en tous sens, elle adorait faire des farces en introduisant des petits cailloux dans les mocassins de ces messieurs. La mère et l'enfant, pliées de rire, feignaient de tousser en se faisant du coude quand elles en voyaient un pieds nus, en train d'essayer d'enlever le corps étranger planté dans son talon avant de partir, clopin-clopant.

Ce jour-là, l'homme qui s'approcha d'elle était plus que beau, une vraie gravure de mode, ni trop grand ni trop petit, il fronçait les sourcils de façon très particulière en souriant, son front se plissait et son sourire devint le point de mire des autres clients. Ses cheveux brun foncé brillaient. Et son corps musclé trahissait, sinon l'athlète, du moins le culturiste narcissique amoureux de ses propres muscles. Alicia le reconnut tout de suite. Son visage disait bien quelque chose à Ileana, mais à le voir ainsi, sans épée à la main, il était impossible qu'une fillette de six ans le reconnaisse.

– Enchanté.

Il saisit la main d'Alicia et, avec une révérence toute versaillaise, la frôla à peine de ses lèvres.

–Vous êtes merveilleuse, je vous ai vue sur scène, et, croyez-moi, votre talent n'a d'égal que votre beauté.

Ileana porta sa main à la bouche pour contenir un fou rire.

Alicia aurait pu en dire autant de lui, mais elle se retint, se contentant de le remercier de son compliment, et de faire un vague commentaire sur un film particulièrement délicieux.

– Seulement délicieux ? demanda-t-il, plus ironique qu'inquiet.

– Pardon, vous m'avez troublée, dit-elle, parfaitement à l'aise dans son rôle de la jeune femme timide et sophistiquée. Je voulais dire que c'est un film magnifique, et que vous y êtes magistral. Grandiose !

– Magnifique... Magistral... Grandiose...

Le gentleman but une gorgée de whisky entre chaque mot qu'il répétait d'un ton moqueur.

– N'exagérez pas, je ne sais si je mérite de tels qualificatifs, mais au moins je me suis amusé. Et surtout, ce fut extraordinaire de jouer avec la Louve. Ah, cette insupportable Bette...

– Bette Davis a été divine. Je l'adore, commenta Alicia.

– Mais vous pourriez peut-être me parler de vous. Où dansez-vous à présent ? J'aimerais beaucoup aller vous voir. Pouvons-nous nous tutoyer ?

Elle acquiesça.

– Elle ne danse plus !

La voix criarde de la fillette obligea l'homme à fouiller du regard entre les belles jambes de la femme.

Il s'inclina pour demander à Ileana :

– Ah bon, et raconte-moi ça ! Pourquoi la femme la plus séduisante au monde a-t-elle décidé de ne plus jamais danser ?

– Parce que je suis là, répliqua-t-elle d'un ton décidé.

Alicia ne savait plus où se mettre : elle avait soudain entre les jambes une gamine capricieuse qui disait au pire moment des choses qu'elle n'aurait pas dû dire, tandis qu'à genoux par terre, le nez sous sa jupe moulante, se trouvait l'idole américaine du moment.

– Je vous en prie, ne soyez pas ridicule, levez-vous immédiatement ! Ileana, mon chou, assieds-toi sur la barre, que le serveur ne te voie pas, il est interdit d'entrer ici avec des enfants. Et vous, arrêtez de faire le pitre, vous ne voyez pas que tous ces gens nous dévorent des yeux ? S'il vous plaît, monsieur... Comment puis-je vous appeler ?

L'acteur se leva après avoir tiré affectueusement le nez d'Ileanita, qui le prit très mal, car elle n'avait pas encore reconnu le personnage. Il épousseta son pantalon et prit place tout près d'Alicia, sentant son souffle.

– C'est une chose qui me plaît, dans ce pays...

– Quoi ? demanda-t-elle, plus mouillée que troublée.

– Cette façon de regarder, elle est unique. On vous déshabille du regard.

« Surtout toi, mon grand », pensa la danseuse de rumba. Sa voix émergea, rauque.

– Pour les femmes, c'est gênant.

– Je m'en doute. Ileanita est...

– Ma fille, déclara-t-elle sans hésiter.

– Je le sais bien, j'allais dire qu'elle est très sympathique.

Ileana l'appréciait de plus en plus, mais elle n'arrivait pas à se rappeler où elle l'avait vu auparavant, et elle n'osait pas non plus ouvrir la bouche pour poser la question, craignant un coup du talon aiguille de sa mère, aiguisé comme une lance.

– Que diriez-vous d'un tour sur la plage ?

– Non, je dois partir.

Elle le contempla du coin de l'œil tout en

essayant d'attirer l'attention du barman pour qu'il lui apporte l'addition.

Il fit signe qu'il paierait le tout.

– C'est ce que disent toutes les femmes. Elles ont toujours un rendez-vous important...

– Merci de me comparer aux autres.

Alicia jouait les offensées. Il la tutoya :

– Tu es très pressée, je n'avais pas terminé ma phrase. Je disais « elles ont toujours un rendez-vous important... dans tous les films ». Je t'en prie, nous ne sommes pas dans un scénario de cinéma, même si la vie, avec toutes ses surprises, y ressemble souvent. Sois capable de changer le destin des protagonistes. Pourquoi n'acceptes-tu pas d'aller te promener avec moi ? Je n'exige de toi qu'un brin d'audace.

Il était extrêmement théâtral, tout cela ressemblait plus à un vulgaire désastre qu'à une tragédie classique. Après avoir demandé si la petite pouvait les accompagner, Alicia finit par accepter. Il répondit qu'il avait surtout eu cette idée pour l'enfant, pour qu'elle s'amuse un moment. Ileana trouva cette invitation d'une gentillesse peu banale, et son esprit s'illumina une seconde, sans qu'elle parvienne à interpréter cet éclair. Où diable avait-elle vu ce type auparavant ? Ils montèrent dans sa luxueuse automobile et partirent en direction de Santa María del Mar.

C'était l'hiver, la plage était déserte, malgré un temps idéal pour faire trempette. Alicia et l'homme marchaient derrière la petite qui ramassait des coquillages et s'amusait à soulever sous ses pas des nuages de sable fin. Il posa alors l'inévitable question :

– Mariée ?

– Divorcée.

Un ange passa, deux, trois...

Ileanita se frappa le front de la main, tourna les talons et courut vers eux :

– Ça y est, je sais où je t'ai déjà vu ! Le film de mousquetaires ! Hein, maman, c'est pas vrai ? *Captain Blood* ! Tu es... tu es... UN HÉROS ! Maman, exactement ce que tu cherchais !

Les joues d'Alicia Parlá s'enflammèrent, mais pas précisément sous l'effet du soleil. L'acteur attrapa une branche dans le sable, la cassa en deux, en donna un bout à la petite. Ils en firent des épées et jouèrent aux corsaires.

– Pourquoi êtes-vous venu ici ?

– Il y a un projet de film, où j'ai un rôle d'explorateur, et j'en suis ravi. D'ailleurs, jamais un explorateur ne sera reparti plus comblé. Passer un après-midi merveilleusement tendre, au bord de cette plage de rêve, avec la reine de la rumba... Tu es magnifique, unique...

– Le tournage est prévu quand ?

– L'année prochaine, sans doute. Je reste seulement jusqu'à demain à La Havane, mais je reviendrai, et j'aimerais vraiment vous rendre visite, à toutes les deux, lors de mon prochain séjour. Et vous êtes invitées chez moi, quand vous voulez. Si seulement vous pouviez partir demain avec moi...

Alicia fut heureuse de voir qu'il incluait sa fille dans ses projets, c'était bon signe. Cela laissait supposer qu'il ne venait pas juste pour tirer un coup et s'éclipser ensuite sans un mot. L'homme lui prit la main, et ils marchèrent ainsi unis un bon moment. Il profita d'un instant où Ileana était occupée à construire un château de sable pour voler un baiser à la danseuse. Elle hésitait. Elle avait du mal à l'appeler par son prénom. Devait-elle l'appeler par son patronyme ? Elle se décida pour le tutoiement, paré de l'écho distant de sa voix grave. Lui, qui se sentit tout de suite en confiance, commença à l'appeler Ali. Il enleva sa chemise ; son torse de boxeur invitait au corps à corps. Il était imberbe, ou bien il s'épilait à la cire ; ses tétons s'étaient dressés sous la caresse de la brise.

Il lui demanda pour la deuxième fois de partir avec lui.

– Nous ferions mieux d'attendre que tu reviennes. Je ne peux pas partir comme ça.

À la tombée de la nuit, ils allèrent manger de la langouste au bord de la plage, ils burent des quantités de *mojitos* et de Bloody Mary. Le voyage de retour fut très chaotique, la petite dormait, ils s'embrassaient tandis que le chauffeur clignait des yeux de fatigue. Il n'y eut pas d'adieu, juste un au revoir. Elle disparut dans l'entrée de la maison avec Ileanita dans les bras, refusant qu'il la porte, ce qui aurait été un prétexte idéal pour la suivre et lui demander à passer la nuit là... Mais Alicia Parlá n'était pas, mais alors pas du tout, du genre à se laisser embobiner par qui que ce soit. Elle lui avait dit, réticente : Je te signale que tu as une mauvaise réputation d'homme à femmes, et à hommes aussi, même si, en ce qui la concernait, le deuxième point était dénué d'importance. Elle était au-dessus de tout cela. On raconte même que tu cours après les adolescentes, et que tu es un incorrigible poivrot. La femme n'arrêtait pas de parler tandis qu'il tentait de lui enlever la gamine des bras, histoire de pouvoir franchir le seuil. Alors, Alicia le repoussa et, comme il était ivre, il s'écroula sur les lauriers-roses du jardin.

– *Bye, baby... come back,* lui dit-elle pour atténuer la brutalité de son geste avant de disparaître dans l'obscurité.

Un an plus tard, après avoir terminé le tournage d'un film plus ou moins médiocre, l'un des plus grands play-boys du XXe siècle, Errol Flynn, s'éteignait. Alicia Parlá et l'acteur ne se revirent jamais. Il y a quelques années, à Miami, la vieille femme et sa fille feuilletaient un après-midi leur album de photos. Pas une seule ne montre l'idylle de quelques heures, en ce fragile hiver.

La Chinoise

Descendue d'un bus de hasard, elle atterrissait paseo del Prado où, plus vulgaire qu'audacieuse, elle agitait ses cannes de serin sur un tango médiocre, avant d'aller s'asseoir à côté du premier venu. Elle commençait par lui tripoter l'oreille, puis la queue, poussant l'inconnu, rouge de honte, à détaler vite fait. Elle dandinait sa grêle carcasse avec la sensualité maniérée d'une guêpe. Dans les années 70, on disait qu'elle vivait partout, en vraie diablesse dotée d'ubiquité. Mais ce jour-là, Jacinta l'avait vue sortir d'une cahute déglinguée du côté de Güira de Melena.

Jacinta la suivit, curieuse de voir où pouvait bien aller cette dingue. Elle prit le même bus qu'elle, et s'assit à côté d'un gros bonhomme en nage qui portait un sac plein d'épis de maïs tendre. La Chinoise préféra rester debout, à virevolter d'un bout à l'autre du véhicule en charriant les hommes :

– Dis donc, gros lard, laisse-moi te l'astiquer un coup, je suis sûre qu'elle est toute riquiqui !

Elle voulait à tout prix s'emparer du pénis d'un type, qui la repoussa d'un revers de main.

Le bus entier était mort de rire. Quand, selon son habitude, la Chinoise descendit à l'arrêt du Capitole, Jacinta l'imita. Une multitude de gamins poursuivit la cinglée en lui réclamant de faire la *cocotte**. Ravie, elle se mettait à chanter, hurlait des insanités, en allongeant le cou et en frétillant des épaules de façon ridicule.

Face au miroir de ce qui restait de la boutique de J. Vallé, elle tendit la main et se caressa les lèvres comme si elle se trouvait face à une inconnue. Quand ses doigts frôlèrent le verre, elle eut un mouvement de recul :

– Divin, divin !

Et elle traversa la rue, affolée.

Puis, telle une chatte en chaleur, elle se mit à chasser des apparitions, et à chercher son double dans un autre miroir de l'ancienne joaillerie Cuervo y Sobrino. Jacinta lui emboîta le pas, désireuse de la protéger, ou de l'imiter, elle ne savait pas bien. Certains disaient que la Chinoise était issue d'une famille richissime de l'île, tandis que d'autres la prétendaient fille du propriétaire du bazar La Casa de los tres quilos. On assurait que toute sa famille était partie à Miami, mais qu'elle avait préféré rester avec son fiancé, dont elle était éperdument amoureuse. Il la plaqua pour une milicienne qui avait le feu aux fesses. La Chinoise sombra dans la folie, et depuis, elle se payait la tête des mecs.

Jacinta la surprit en train de faire des moues aristocratiques, empruntées à un passé apparemment distingué. Comme elle se sentit observée de très près, elle retourna au milieu de la rue improviser un tango ou onduler des bras comme si elle dansait *Le Lac des cygnes.* Elle lança une gambette en l'air, et on put voir qu'elle était nue sous sa jupe râpée.

Jacinta rejoignit le cercle qui s'était formé autour de la folle. Les badauds, goguenards, l'applaudissaient. Enchantée, elle répondait par des révérences. Puis, dans la position du poirier, riant aux éclats, elle déversa un tombereau d'injures éhontées sur les vieux. Les adolescents railleurs en faisaient une déesse, ou la reine du boulevard San Rafael. De fait, elle prit congé à la manière d'une divinité ou d'une souveraine des temps anciens, et fit semblant de monter dans un carrosse. Puis elle alla s'affaler, la chatte à l'air, à l'entrée du cinéma América, toute son allégresse soudain éteinte. Jacinta, prise de pitié, s'accroupit à ses côtés.

– Viens avec moi, la Chinoise, je te paye une pizza et une bière. Après, je te raccompagnerai, nous sommes voisines, j'habite pas loin de chez toi.

– Et qui es-tu donc, ma chérie ?

– Une amie.

– Je n'ai pas d'amies, je n'ai personne. J'ai besoin qu'on s'occupe de moi, je suis malade, mais les gens sont méchants.

– Allez, lève-toi, je te jure que je ne vais pas te faire de mal, je veux seulement être ton amie.

– Et en quel honneur voudrais-tu être mon amie, contrairement à tout le monde ?

– Je t'ai regardée. Tu m'es sympathique.

– Bon, si tu le dis... Aaah, bon Dieu.

Elle se redressa avec difficulté.

Elles allèrent à la pizzeria d'en face. Mais la Chinoise n'eut pas le droit d'entrer, parce qu'elle était vraiment sale et que l'on connaissait son peu de retenue. Jacinta acheta les pizzas, et faucha les canettes de bière bien fraîche. Elles dînèrent assises sur le mur du Malecón. Vers onze heures, Jacinta mit le pouce en l'air pour faire du stop. Un militaire s'arrêta au volant d'une Lada.

– Toi, je veux bien te prendre, mais pas cette foldingue. Tu parles si je la connais : elle a déjà essayé une fois de m'arracher la queue !

Son ton était catégorique.

Ceux qu'elle parvint à arrêter ensuite eurent peu ou prou la même réaction. Heureusement, un camionneur qui passait par Güira accepta enfin de les prendre à l'arrière, au milieu d'un troupeau de mules muettes. Qu'allait-on fabriquer de toutes ces mules muettes ? demanda Jacinta, sans obtenir de réponse, car le conducteur affirma que c'était un secret d'État. Le voyage se poursuivit en silence. Elles arrivèrent au village, et Jacinta accompagna la Chinoise à la masure qu'elle supposait être sa maison.

– Ce n'est pas là que j'habite. Je vis ici depuis deux semaines, dans ce tas d'ordures, mais ce n'est pas ma maison. Emmène-moi chez moi.

– Dis-moi où c'est et je t'y emmène demain. Mais qu'est-ce que tu fais dans cette porcherie ?

Jacinta se boucha le nez en entrant dans la pièce, qui puait comme les vespasiennes un jour de carnaval.

– Quelqu'un m'a amenée ici, je ne sais plus qui, mais j'ai encore le cul endolori de toutes les horreurs qu'il m'a faites. Je ne sais plus où j'habitais avant. Je ferais mieux de me coucher.

Elle allait s'étendre sur le sol moisi et tapissé d'immondices, où débouchaient les canalisations de l'immeuble, mais Jacinta lui saisit le bras :

– Viens dormir chez moi, on s'arrangera avec mon père.

À son domicile, elle la força à prendre un bain, lui donna des vêtements, une culotte, un soutien-gorge. Elle la fit coucher dans le lit de sa sœur. La Chinoise s'endormit comme une masse. Le père rentra alors qu'elles étaient déjà couchées.

Le lendemain, Jacinta alla lui porter une tasse de café qu'elle venait de faire. Elle vit en passant son père qui ronflait encore. La Chinoise s'était évaporée sans laisser de trace. Le lit était fait, exactement comme sa sœur l'avait laissé le matin précédent avant d'aller prendre l'avion pour poursuivre, grâce à une bourse, ses études en Tchécoslovaquie.

Kid-Chocolate-Tamikao

Kid Chocolate fut le premier boxeur cubain champion du monde. Il mourut en 1979, oublié de tous. Il n'y a même pas une plaque dans le cimetière qui indique qu'une gloire du sport repose là. Kid Chocolate eut des admirateurs dans le monde entier, et reçut bien des invitations pour devenir millionnaire hors de l'île. Mais il choisit de rester sur sa terre natale, allez savoir pour quelles obscures déraisons. Son nom finit par disparaître des journaux, et son personnage tomba dans l'ombre. Seule une personne gardait son image gravée au fond de la mémoire, un fou célèbre, mendiant des rues de La Havane. Je parie que bien peu de gens connaissaient son vrai nom. On racontait qu'il avait été boxeur dans son jeune temps et que Kid Chocolate, avant de devenir champion du monde, l'avait mis K.-O. Le malheureux, que ce souvenir avait traumatisé, ne souffrait pas qu'on le lui rappelle.

– Chocolate t'a mis K.-O. ! lui braillaient dessus les enquiquineurs du quartier.

L'homme se remplissait les poches de pierres, qu'il lançait à pleines mains. Cette phrase le mettait hors de lui.

– Chocolate t'a étalé ! insistaient les perfides.

– Allez vous faire voir, fils de putes, tas de feignants ! Moi je suis un homme, un vrai, avec des couilles au cul ! Approchez, si vous voulez prendre une branlée !

– Fais pas ton malin, vieux ! En fait, Choco t'a fait... couuuuic ! (Le garçon se passait d'un trait l'index sur la gorge, en claquant de la langue.)

Dans La Havane des années 70, un certain nombre de fous étaient obsédés par une idée fixe, et Kid-Chocolate-Tamikao était sans aucun doute l'un d'eux. L'idée qu'un boxeur, et surtout Kid Chocolate, l'ait vaincu, lui était insupportable.

Un jour, j'étais en train de lire un livre de la collection Huracán dans un bus, bondé comme d'habitude. La vitre à côté de mon siège ne fermait pas et l'air s'y engouffrait, emportant les pages de papier de bagasse mal collées de *Doña Bárbara.* Au bout d'un moment, Kid-Chocolate-Tamikao est monté. Des lycéens, qui allaient comme moi à leur cours d'éducation physique au Ponton, ont commencé à se faire des signes, décidés à s'en payer une tranche pendant le trajet. Ils commencèrent à harceler le pauvre homme en lui répétant la phrase fatidique.

Une élève plus sensible, que ce spectacle déprimant désolait, voulut redonner courage au pauvre hère par une nouvelle version des faits.

– Ce n'est pas vrai ! Kid Chocolate n'a jamais mis ce camarade K.-O. ! Mon grand-père y était, et il m'a raconté que, en fait, c'est ce camarade qui a gagné le combat.

Un silence épais comme un milk-shake de *mamey* se fit. L'homme fixa la jeune fille pendant quelques secondes, puis sa bouche lâcha un énorme rire.

– Et d'où tu sors ce ramassis de bobards, si on peut savoir ? Fais gaffe ! T'as pas intérêt à dire du mal de Kid Chocolate ! Kid Chocolate est ce que cette planète a fait de plus grand ! Et celui qui n'est pas d'accord, qu'il aille se faire foutre ! Kid Chocolate et moi avons eu un petit différend sur le ring, un point c'est tout. Et personne ici n'a le droit de se mêler des problèmes de sportifs, c'est une affaire de professionnels !

À la station suivante, avant d'arriver au Ponton, nous sommes tous descendus, dans le sillage du fou et de son délire. Il ne me restait plus entre les mains que la couverture du roman de Rómulo Gallegos, les pages s'étaient toutes envolées par la fenêtre.

L'Équilibriste

On entendait de loin son vacarme quand il faisait d'une seule main tourner, danser les poubelles en équilibre sur elles-mêmes. Les enfants lui couraient après. C'était un homme d'une trentaine d'années, qui avait perdu la raison. Il paraît qu'il avait été éboueur et que les ordures lui avaient ensablé les méninges. Ses mains étaient toujours couvertes des gants épais des travailleurs du service de voirie. Mais il n'exerçait plus ce métier, à présent. Il était désormais un mendiant qui faisait danser les poubelles pour amuser les passants.

Promeneur infatigable, ses pieds géants saignaient dans ses chaussures trouées trop petites pour lui, mais il avait appris à être insensible à la douleur. Il était fort et de grande taille, et la tendresse de son regard, malgré les dents cariées qui gâtaient le sourire de son visage aimable, attirait l'œil. Il commençait son spectacle à Luyanó, La Víbora, en passant par le Vedado, le Centre, la Vieille Havane, et Casablanca, pour finir à Regla, où apparemment il vivait. Personne ne savait comment il parvenait à traîner de l'autre côté de la baie ses deux poubelles, nul ne l'avait jamais vu traverser.

À Casablanca, il s'était épris d'une étudiante vétérinaire. Il n'y a pas plus tête de mule qu'un malade mental amoureux. L'Équilibriste, comme on l'appelait, car personne ne connaissait son véritable nom, se planta devant la maison de sa dulcinée sans cesser de faire tourner ses poubelles. Le bruit n'était pas le seul à être infernal, car les voisins redoutaient que, dans son impatience d'obtenir une réponse de Fabiana, il n'ait l'idée d'en venir à quelque chose de plus violent. Elle, qui n'avait rien fait pour éveiller une passion si folle dans le cerveau perturbé de cet homme, commençait aussi à s'inquiéter. Elle n'avait jamais aguiché le fou, elle ne lui avait même pas adressé la parole. Cela arriva sans prévenir, du jour au lendemain. Elle descendit de la navette qui traverse la baie, de retour de l'école. Il se masturbait au milieu de la place, n'épargnant jamais aucun effort pour se donner en spectacle. Elle passa sans s'arrêter. Depuis son plus jeune âge, elle le connaissait, comme la majorité des habitants du quartier, et elle avait perdu tout intérêt pour ses extravagances. Pour lui, ce fut comme s'il venait de découvrir à cet instant une princesse destinée exclusivement à son royaume, et il la poursuivit dans la rue principale après avoir rentré popaul au bercail, tout en traînant toujours ses boîtes à ordures, sous le regard des curieux hilares. Il osa seulement s'approcher de la jeune fille qui prit la fuite, apeurée. Il l'arrêta de sa voix tonnante :

– Je suis amoureux de toi ! Épouse-moi tout d'suite !

Fabiana ne parvenait pas à ouvrir sa grille, elle était si nerveuse qu'elle en oublia comment tourner la clé dans la serrure. Elle appela à grands cris son frère, qui vola à son secours. Elle lui expliqua que l'homme l'avait poursuivie, et son frère la rassura, c'était un pauvre type, on ne pouvait pas l'empêcher de rester dans la rue. Le fou monta donc la garde pendant deux semaines, au bout desquelles il sembla très fatigué. La pitié prit le pas sur la peur. Les voisins lui donnèrent alors à manger, ils lui apportèrent des vêtements. Une infirmière soigna ses pieds. Un pêcheur lui offrit un toit derrière son patio, dans une chambre inoccupée qui, malgré son piètre état, possédait une vue splendide sur la baie. La famille de la « fiancée » se refusa à se montrer généreuse envers lui, pour éviter tout malentendu qui risquerait d'attiser sa passion aveugle pour Fabiana.

Un beau matin, le pêcheur annonça la disparition de l'Équilibriste. Il était parti, et personne ne savait où. Tous respirèrent enfin, Fabiana la première se sentait débarrassée d'un lourd fardeau. Cependant, après quelques jours, il commença à leur manquer, et comme on ne l'avait pas revu, tout le monde se demandait s'il n'avait pas eu un accident. Ils battirent la campagne tant et plus, mais leurs recherches ne laissèrent entrevoir aucun espoir. On craignit le suicide de l'amoureux incompris, et Fabiana redevint la cible des commérages du village. Elle aurait quand même pu accorder un peu d'attention à ce pauvre malade, murmurait-on dans son dos. Si ça se trouve, il pouvait être soigné, et avec une bonne douche et un travail décent, les choses auraient pris une autre tournure. Mais elle, évidemment, elle visait un type mieux placé. Mais pour qui elle se prenait, à la fin, elle n'était pas si belle que ça pour faire la difficile. Vous vous rendez compte, quel coup fatal pour ce pauvre artiste de cirque. Les autres filles la jalousèrent. Pourquoi diable ce fou était-il tombé amoureux de la plus inaccessible d'entre elles ? S'il en avait choisi une autre, elle l'aurait aussitôt épousé. L'idéalisation atteignit un tel degré que le lieu fut rebaptisé place du Monument à l'Équilibriste des poubelles. En son milieu, le sculpteur de Casablanca tailla une statue représentant le fou avec ses deux bidons au bout des doigts. Il n'y manquait jamais un bouquet de fleurs à sa gloire. Il fut décidé d'un commun accord de vouer un jour à sa mémoire, qui serait célébré chaque année à grand bruit. Le jour le plus chaud de l'année fut choisi, le 20 août, car à cette date précise, sous l'effet conjugué de la chaleur et de l'humidité, la cervelle des habitants disjonctait, et ils perdaient les pédales.

Pour le premier anniversaire de l'absence de l'Équilibriste, guirlandes, ballons, banderoles, et décorations lumineuses courant d'un balcon à l'autre furent préparés pour fêter dignement la mémoire du héros. Les maîtresses de maison se firent un devoir de confectionner des boissons et des plats exquis. La population se mit sur son trente et un. Fabiana fut élue princesse de Casablanca. Elle accepta, portée par l'enthousiasme de ses proches, et on fabriqua même un carrosse en son honneur, pour la promener jusque dans les moindres recoins. Un vrai carnaval.

On mangea, on but et on dansa. La fête était à son apogée quand au loin le roulement des poubelles se fit entendre. Les convives restèrent cloués sur place. Tout se figea, jusqu'aux feuilles des arbres. Dans la rue principale, l'Équilibriste approchait, sans se douter qu'il était lui-même à l'origine de tant de joie pétrifiée. Les sourires virèrent aux grimaces de dégoût. Ainsi, il était en vie, et eux qui l'avaient cru mort d'amour ! Alors comme ça, il les avait oubliés, il n'avait pas eu le moindre geste pour les remercier de toutes leurs amabilités à son égard. Fabiana se félicita d'avoir dédaigné un tel parti, et les autres filles, folles de rage, déchirèrent leurs robes. Le fou arriva jusqu'à eux, il fit encore tourner ses poubelles un bon moment. Subitement, il remarqua la présence de la statue. Il lâcha d'abord un ricanement stupide, puis il devint très sérieux et deux larmes sillonnèrent ses joues crasseuses. Fabiana lui sauta au cou un peu trop amoureusement, elle lui pardonnait, bien sûr qu'elle lui pardonnait ! L'homme continua de rire bêtement, sans comprendre pourquoi cette princesse s'accrochait à sa poitrine en lui faisant si mal. Le lendemain, un dimanche, on les maria à l'église. Mais avant que l'irréparable ne se produise, l'Équilibriste disparut à nouveau, sous le prétexte d'aller acheter des cigarettes. Jusqu'à ce jour, on n'a plus jamais entendu parler de lui. Fabiana s'est vêtue de noir, et jamais elle n'a posé ses pupilles sur un autre prétendant. Depuis lors, le 20 août est férié, à Casablanca. La nuit, toutes les oreilles sont tendues dans l'attente d'une lointaine litanie qui, remontant la rue principale, annoncerait le retour à la maison du héros.

La marquise du Tencent

Elle coiffait toujours ses rares cheveux teints en mauve d'une tiare noire brodée d'or et de paillettes roses. Malgré l'âge avancé que certains lui prêtaient, son visage cannelle sans rides ne se parcheminait pas. Elle avait seulement deux ou trois verrues, semblables à des câpres. Elle portait invariablement une jupe fourreau noire, qui moulait sa taille fluette, avec un corsage blanc à jabot et collet monté de dentelle fermé par un camée à deux sous. À son bras pendait un sac tricoté, elle avait aux pieds des chaussons chinois de velours noir. Elle attendait, derrière la file de chaises pivotantes, toutes occupées par des personnes qui chaque midi faisaient des pieds et des mains pour déjeuner au Tencent.

Il s'agissait d'un grand magasin où, par le passé, on vendait de tout, vêtements, chaussures, meubles, quincaillerie, appareils électroménagers. Il possédait également un salon de coiffure et un barbier, et un restaurant où l'on pouvait déjeuner, goûter et dîner, dans le plus pur style américain. Après 1959, les Tencent havanais perdurèrent encore deux décennies. À la fin des années 70, ils étaient déjà en pleine décadence. Mais les rares lieux qui résistaient, l'un rue Obispo et l'autre rue Galiano, conservaient une faune très intéressante d'habitués, qui vieillirent et sombrèrent peu à peu dans la pauvreté en même temps qu'eux. Une de leurs clientes les plus fidèles était la Marquise, elle avait perdu la tête, et personne ne savait pourquoi. Mais sa façon de s'habiller montrait qu'elle refusait de renoncer à certains canons de l'élégance, ce qui contrastait avec la vulgarité et la médiocrité des uniformes totalitaires, qu'il s'agisse des miliciens, des travailleurs volontaires de l'agriculture, des pionniers, des appelés du contingent, ou tout simplement des maîtresses de maison fichues comme l'as de pique avec des tissus soviétiques, des synthétiques trop chauds, ou des laines grossières venues de la glaciale Sibérie.

Le ton sur lequel on l'appelait la Marquise n'avait rien d'affable. Il sonnait comme un défi, une provocation. Car « marquise » avait cessé d'être un titre de noblesse, pour devenir un synonyme de pute bourgeoise. Après la première décennie d'euphorie rebelle et turbulente, les étudiants héritèrent l'habitude de surnommer ainsi la vieille mulâtresse, mais de façon affectueuse, cette fois. Le venin inoculé par leurs prédécesseurs s'était alors pas mal dilué, à force d'exécutions sommaires et de marches forcées. Quelques-uns continuaient toutefois de l'importuner, mais elle finit par démontrer qu'elle avait l'étoffe d'une vraie marquise, ne serait-ce que par sa sérénité et ses bonnes manières. Elle ne répondit jamais à une injure, elle détournait le regard, et elle gardait la tête remplie de papillons. Elle ne fuyait pas. Sa dignité était sa meilleure arme.

Aliuska et Tamara connurent le dernier souffle du Tencent. On n'y servait plus ces menus de riz au poulet et à la banane plantain mûre frite, véritable hymne pour le palais, ni les salades fraîches, ni les sandwichs à l'œuf, pas plus que les rafraîchissements, jus de papaye ou Coca-Cola, ni les glaces à la banane ou à la mangue, ni les gâteaux décorés de meringue bleutée. Victimes infortunées de leur âge, Aliuska et Tamara, trop jeunes pour avoir connu les tares du capitalisme, pouvaient juste s'asseoir sur des chaises déglinguées, naguère pivotantes, dont il ne restait parfois qu'un tube de métal à nu à se mettre entre les fesses pour faire voir que le siège était occupé. Si la responsable échevelée et suante – la climatisation et les escaliers mécaniques étaient bousillés – se rendait compte qu'il n'y avait plus de coussin sur le socle, elle pouvait les envoyer bouler en les traitant de mille noms d'oiseaux. Sans regarder en face le client, devenu simple usager, elle désignait le menu sur un tableau crasseux éraillé, où l'on pouvait à peine lire, à demi effacé : *guachipupa*[1] et tartine de pâté (de quoi ? mystère). C'était tout.

Aliuska et Tamara s'échappèrent de leur cours de chimie pour aller goûter ces délicieuses saletés au Tencent de Galiano. La file de chaises cassées était occupée dans sa majeure partie par des vieillards dépenaillés ou par des étudiants affamés. Derrière eux, le magasin ressemblait beaucoup à

1. Boisson artisanale à base de rhum distillé et de soda à la fraise. *(N.d.T.)*

Cayo Cruz, le dépotoir national. Aliuska donna un coup de coude à Tamara pour qu'elle remarque la vieille. La Marquise mordait avec difficulté dans un sandwich de mystère. Perdue dans ses pensées, elle avait des mouvements délicats, et secouait ses doigts avec une distinction de sang bleu.

– La pauvre, elle doit rêver qu'elle est à un banquet, dit Aliuska à son amie.

– Je crois plutôt qu'elle en est restée au temps d'avant la catastrophe. Elle ne se rend pas compte de ce qui se passe autour d'elle, répondit Tamara.

La Marquise tendit l'oreille.

– Attention, elle peut nous entendre. Il paraît qu'elle a l'ouïe fine des tuberculeuses, chuchota Aliuska.

La Marquise se tamponna délicatement la commissure des lèvres avec un mouchoir de dentelle qu'elle rangea immédiatement dans son sac, d'où elle sortit un rouge avec lequel elle se refit les lèvres. Elle accentua également la couleur de ses joues en s'observant dans le tain rongé du miroir. Elle descendit de sa chaise pivotante comme on descend d'une limousine, tira sur sa jupe, ajusta sa grosse ceinture vernie. En souriant, elle incita d'un signe Aliuska à s'asseoir sur le siège qu'elle venait de quitter. Elle murmura :

– Mes pauvres petites, vous avez raté le meilleur de la vie.

D'un pas léger, elle se perdit dans la rue Dragones. Elle monta l'escalier d'un vieil édifice à l'abandon. Au premier étage, une nuée d'enfants à moitié nus, aux ventres et aux nombrils proéminents, bourrés de poux et de parasites, lui souhaitèrent la bienvenue. Elle prit dans son sac une poignée de bonbons qu'elle jeta en l'air. Elle put ainsi se libérer des fauves, comme elle disait, et entrer dans sa chambre. Elle alluma une cigarette dont elle tira de fébriles bouffées. La cendre virevoltait sur les meubles, grillant des bouts de rideaux.

Elle dégrafa la touche de distinction, la pointe de fantaisie, le camée. Elle délira en chantonnant des lambeaux de grandeur brodés de motifs de boléros et de couplets fanés. La Marquise se prit alors pour la fiancée de l'enfant qui pleurait selon elle dans ses entrailles. Elle lissa ses cheveux en se plaignant de sa robe démodée. Ses yeux candides scrutèrent le moindre espace. Peu après, elle s'assoupit en lisant la Bible.

Au crépuscule, elle s'éveilla, frissonnante. Reprenant son ouvrage, elle broda des fils d'or, murmura que dans ses mains naissait l'infini. Il fallait la voir inventer des châteaux, évoquer avec nostalgie les murailles de l'Alhambra. Puis elle sortit dans le couloir, qu'elle parcourut en zigzag comme la fillette solitaire qu'elle avait été. Les voisins, habitués à un tel spectacle, sortaient sur le pas de leur porte. La Marquise jouait à l'actrice de théâtre, et ils l'applaudissaient avec ferveur. Elle releva les pans de sa chemise de nuit, et annonça qu'elle allait danser au rythme de l'eau qui tombait goutte à goutte dans son tympan. Ils savaient tous que dans sa tête coulaient des cascades et naissaient des esprits.

Pepito et ses blagues

Pepito n'est pas un personnage réel, mais une invention de la tradition orale cubaine. Pepito est le héros d'une multitude de blagues. Un garçon espiègle, éternel enfant, une Mafalda sans auteur, ou plutôt dont l'auteur est le génie populaire. C'est une sorte de Toto, intelligent, coquin, audacieux, sagace, bref, un sacré chenapan. Il s'est installé de telle façon dans la vie quotidienne du Cubain qu'il n'est pas d'événement qui n'entraîne une blague où Pepito fait des ravages avec un degré variable d'élégance ou de vulgarité. Un vrai petit génie capable de changer des aspects de la société. Dans un pays où une révolution a eu lieu, le seul vrai révolutionnaire est en fait un personnage de fiction dont aucun portrait n'existe à ce jour. S'il n'a pas de visage, c'est qu'il a le visage de tous les Cubains, celui que chacun des onze millions d'habitants de l'île et des deux millions d'exilés a bien voulu imaginer.

Pepito est ce gamin désinvolte qui peut demander à la maîtresse, dans son école de La Lisa :

– Maîtresse, est-ce que le cœur a des pattes ?

– Non, Pepito ! Quelle drôle d'idée ! Qu'est-ce qui te fait dire ça ?

– Parce que la nuit, mon papa dit souvent : « Écarte les pattes, mon petit cœur ».

Pepito est le gosse pervers. Et sa langue darde également sa lame acérée dans le domaine politique.

On raconte que Pepito traînait en se tournant les pouces, près d'une station de bus à San José de Las Lajas, disant à qui voulait l'entendre que la dictature ne ferait pas long feu.

– Madame, pour votre gouverne, le Comédien en chef n'en a plus pour longtemps. Monsieur, écoutez, vous ne savez pas encore que ce régime va s'effondrer dès demain ?

Et il apostrophait ainsi tous ceux qui passaient, mais les gens, avec leur peur habituelle, le fuyaient. Au bout d'un moment, un mouchard descendit de sa Moscovitch et lui tomba dessus.

– Écoute-moi bien, espèce de clown, le menaça-t-il en le secouant comme un prunier. Le commandant vient d'apprendre ce que tu racontes, et il m'a ordonné de te prévenir que s'il ne te fusille pas sur-le-champ, c'est parce que nous manquons d'armes. Tu as intérêt à fermer ton clapet et si tu ne la boucles pas tout seul, c'est nous qui allons te la boucler avec du barbelé, et on pourrait même remettre en service la guillotine... Tu vas la fermer, oui ou oui ?

Pepito acquiesça, l'air terrorisé.

– Je veux te l'entendre dire ! Allez, répète après moi : « Je promets que je n'insulterai jamais plus la Révolution ni notre papa chéri Fidel... »

Pepito répéta avec le gorille tandis que celui-ci

lui écrabouillait les testicules. Satisfait d'avoir neutralisé le gosse qui collectionnait le plus de problèmes idéologiques, il partit rédiger son rapport sur ce qui venait de se passer. Pepito, quant à lui, fit le tour du pâté de maisons, et revint immédiatement se poster exactement au même endroit, à l'arrêt de bus. Il attendit qu'un groupe de voyageurs se forme pour lancer à la cantonade :

– Putain, ce régime est fichu ! Vous vous rendez compte, il n'a même plus d'armes pour nous fusiller !

Pepito est le seul à avoir osé affronter le dictateur. Une fois, le Comédien en chef le fit appeler. Pepito arriva très tranquillement, ce qui contrastait avec la colère de son hôte :

– Dis donc, Pepito, il paraît que tu cries sur tous les toits que quand je serai mort, tu viendras cracher sur ma tombe. Est-ce vrai ?

– Jamais de la vie, mon commandant ! Vous savez bien que j'ai horreur de faire la queue.

En outre, Pepito s'adapte facilement aux bouleversements sociaux et économiques. Lors de sa visite à La Havane, le Saint-Père a demandé qu'on lui présente trois Havanais, dont il souhaitait exaucer le vœu le plus cher. Et comme la réputation de Pepito était parvenue à ses oreilles, il voulut que le fameux mioche fût l'un des heureux élus.

Le premier Cubain se présenta devant le pape avec un air accablé.

– Eh bien, mon fils, en quoi puis-je t'aider ?

– Ah, Saint-Père, tout ce que je souhaite, c'est pouvoir acheter une voiture. Ma famille crève de faim, et avec une auto je pourrai faire le taxi et gagner quelques dollars pour les nourrir.

– Accordé, dit le pape.

Et une Aleko flambant neuve attendait le fidèle à la sortie.

Vint le tour de la deuxième personne.

– Je suis à votre service, dites-moi en quoi je puis vous être utile, proposa le souverain pontife, empli d'humilité et de générosité.

– Bénie soit Sainte Marie, mère de Dieu, Saint-Père. Si vous ne voulez pas que les miens meurent de chagrin, il faut qu'on libère notre fils cadet de prison. C'est le seul capable de ramer sur un radeau jusqu'à Miami et nous sortir de cet enfer. Le reste de la famille est à bout de forces.

– Accordé.

Et quelques minutes plus tard, le fils était libre.

Arriva Pepito.

– Ah, voici le fameux Pepito, murmura Sa Sainteté.

Le garçon répondit par un regard assez timide.

– Alors, mon « bon » garçon, que voudrais-tu pour ton avenir ?

– C'est bien simple, mon père. Je veux juste que vous me bénissiez ce buste du Comédien en chef.

– C'est tout ? interrogea le pape, étonné.

Le garçon hocha la tête, affectant un profond recueillement spirituel. Sa Sainteté procéda à la bénédiction du buste de plâtre.

L'année suivante, sur le chemin de Mexico, le pape fit escale à l'aéroport de la capitale, à Rancho Boyeros. Il s'enquit du sort de ses trois protégés. Quand il demanda des nouvelles du premier, on lui susurra que les choses avaient été de mal en pis pour lui, car, à peine Sa Sainteté était-elle montée dans son avion pour quitter l'île qu'on lui avait confisqué son automobile, il était mort de faim avec toute sa famille. Le deuxième avait connu un sort semblable : à peine l'avion de Sa Sainteté avait-il disparu dans un nuage que le fils avait été remis en prison, où il était mort des suites de tortures. On ne laissa à la famille que deux possibilités : soit partir sur une embarcation de fortune et traverser l'océan infesté de requins, soit être logés gratis au pénitencier du Kilomètre 7 pour les hommes, et à la prison la Nouvelle Aurore pour les femmes. Bien entendu, ils se jetèrent à la mer et furent la pâture des squales. En revanche, Pepito...

– Quoi, Pepito ? Comment s'en est-il tiré ? demanda le Pape, intrigué.

– À merveille. Il s'est acheté une résidence de deux millions de dollars. Tous les jours, il donne des fêtes énormes, où il invite des top models. Si vous voyiez ça, les piscines, les limousines qu'il se paye... Incroyable mais vrai.

– Amenez-le moi tout de suite, je veux le voir.

Pepito se présenta sur l'heure.

– De nouveau parmi nous, Sa Sainteté ?

– On m'a dit que tout a divinement marché pour vous.

– N'exagérons rien. Mais il est vrai que j'ai prospéré, et c'est à vous que je le dois. Merci mille fois...

– Bien, bien, laissons cela. Expliquez-moi comment vous avez fait fortune avec un buste de XXL [1] béni.

– C'est simple. Je l'ai mis dans le patio de ma

1. *Talla Extra Larga*, qui signifie « taille extra large », mais aussi, à Cuba, « discours interminable », est devenu, depuis *La Douleur du dollar*, l'un des nombreux surnoms de Fidel Castro. *(N.d.T.)*

maison... À deux dollars le crachat et cinq le coup de pied au cul, si Sa Sainteté me passe l'expression.

XXL mourut enfin. Pepito compose le numéro de téléphone du Comité central et demande, en prenant un ton peiné :

– Camarade, s'il vous plaît, est-il vrai que le Comédien en chef vient de décéder ?

– Oui, j'ai le regret de vous informer que c'est la plus triste des vérités, lui répond-on à l'autre bout du fil.

Il raccroche et appelle à nouveau.

– S'il vous plaît, j'ai un doute, vous me jurez que XXL est bien mort ?

– Oui, malheureusement, cette grande tragédie a eu lieu, lui confirme-t-on.

Pepito raccroche à nouveau, fait quelques pas dans la maison, boit une tasse de café, et rappelle le Comité central.

– S'il vous plaît, vous pouvez sans doute m'éclairer. Comment va la santé de l'Orateur radoteur ?

– Eh bien, figurez-vous que papa chéri vient de faire ses adieux définitifs à son enfant, le peuple. Mais, dites donc, ce n'est pas vous qui avez déjà appelé deux fois ?

– Si, bien sûr.

– Vous êtes malade ou quoi ? C'est la troisième fois que je vous dis que l'Éternel Libérateur nous a quittés !

– Oh, ne vous fâchez pas. C'est vrai, mais c'est un tel plaisir d'entendre encore et encore une nouvelle pareille !

Pepito est tout simplement unique, un gracieux symbole de ce que Jorge Mañach a défini si subtilement comme le *choteo* – ou humour – cubain.

Soldes d'été

J'avais la poitrine écrasée, au bord de l'apoplexie. Le ciel déversait du plomb fondu. On respirait par moments de la vapeur carbonisée, une vraie fournaise. L'été 1994 fut le plus infernal. De grâce, Mayeya, de l'eau ! J'implorais la pluie en rituel africain. Je priais la Miraculeuse de se remuer un peu : allez ma petite vieille, secoue-toi et ponds-nous un de ces petits miracles dont tu as le secret, un beau miracle, un vrai ! Ne nous fais pas suer davantage ! Balance-nous dessus trois gouttes de ce que tu voudras, je ne sais pas, moi, un crachat, un petit filet de pipi... N'importe quoi, Sainte Mère adorée, pourvu que cela rafraîchisse mes tempes qui battent et ma tête qui menace d'exploser comme une grenade. Emiliana et moi ne connaissions rien d'autre que la canicule. Jamais nous n'avions grelotté comme dans les films français, où de la fumée sort de la bouche des gens quand ils parlent ou ils respirent, ni vu le moindre paysage avec les feuilles dorées de l'automne tombant au ralenti des arbres nus. On ne pigeait rien non plus aux fameuses couleurs printanières des *Quatre Saisons* de Vivaldi... On pouvait juste cuire dans notre jus, point. Si la police nous avait interrogées, nous aurions pu jurer n'avoir jamais rien vu d'autre que de la végétation cramée d'un bout à l'autre de l'année et trois petits vieux de l'hospice se calcinant au soleil. Depuis le maudit après-midi brûlant du mois d'août où elle était née jusqu'aux vingt-quatre ans révolus qu'elle avait à présent, Emiliana n'avait guère connu d'autre variation climatique que chaleur ou chaleur intense. Quand elle vit la lumière du jour pour la première fois, elle faillit devenir aveugle, car le soleil fendait les pierres et grillait les cornées. À chacune de ses poussées, sa mère avait perdu bien plus de sueur que de larmes et de sang. Une vraie fontaine !

Je venais de faire sa connaissance depuis dix minutes et Emiliana ironisait déjà sur les noms à la noix que portent les mois dans ce pays de fous. Elle avait toujours entendu des expressions du style : *Quelle chaleur, mon Dieu, pour un mois de février ! On se croirait en août, on étouffe en plein mois de janvier ! Le bitume ramollit et on prétend que c'est l'hiver !* Il vaudrait mieux, disait Emiliana, faire un seul mois de trois cent soixante-cinq jours, et le baptiser août.

Un point c'est tout.

Emiliana avait passé sa stupide existence à transpirer et à crever de soif. Même jouer était impensable. Vous auriez vu les petits gros, ils tombaient comme des poulets, le cou tordu. Pour couronner le tout, cet été-là, son fiancé avait décidé de la plaquer pour se tirer en Suède au bras d'une grande gigue blonde qui avait une peau de neige et trois poils dressés sur le caillou comme un épi de maïs. Elle se lavait au vu et au su de tout le voisinage et se flagellait ensuite avec une branche de prunier. Bon débarras ! Qu'il aille au diable, autrement dit en Suède, comme ça, elle ne serait plus obligée de supporter ses aisselles puantes, ni son haleine qui, tel un vent de sable du Sahara, lui brûlait le nez, ni la braguette jaune de chtouille qu'il frottait entre ses cuisses. Quant à sa famille, elle avait aussi pris le large sur une embarcation fabriquée avec des boîtes à ordures, quelques poutres du plafond, et les quatre pneus d'une charrette. Les voiles étaient deux draps à fleurs pourris. Et manque de bol, sa meilleure amie avait suivi le même chemin. Les listes de noms de survivants diffusés par la radio américaine – qu'elle écoutait dans les toilettes grâce à une antenne bricolée avec du papier d'alu récupéré sur les couvercles de yaourts – diraient s'ils avaient réussi à s'échouer sur une île moins névrotique et moins miteuse que celle qu'ils avaient quittée, ou bien s'ils avaient fini dans le ventre d'un requin.

Je ne savais rien encore d'Emiliana. Elle me raconta tout ça tandis que nous étions en train de nous liquéfier sur une plage pouilleuse réservée aux gens du cru. Assise sur les rochers en dents de loup de Santa Cruz del Norte, cette zone où les Français forent le sable depuis des années à la recherche de pétrole et ne récoltent que du soufre brut, Emiliana déprimait. Elle aurait voulu se tourner vers quelqu'un, partager sa peine, mais il n'y avait plus un chat. Les gens, atteints du virus de l'été, se jetaient par milliers à la mer. Miamite, trouillite, fringalite, dictaturite aiguë, diagnostiquaient les toubibs dans leur barbe.

Elle n'avait pas songé à se suicider, c'était beaucoup trop compliqué. Quand chercher un simple bout de journal ou de carton pour s'éventer était la croix et la bannière, dénicher de quoi mettre fin à ses jours tiendrait de l'exploit.

La chance voulut que j'aie droit à un bout de rocher à côté d'elle. Je dis que j'y eus droit, parce que ici le moindre coin de banc dans un parc est rationné. Depuis une semaine, je n'avais rien avalé, juste de l'eau avec du sucre roux. Mes canines au chômage jouaient des claquettes. J'avais aussi mal à la tête, faute de lunettes, depuis quatre ans. Et, le bouquet : j'étais drôlement constipée, au bord de l'occlusion intestinale. Mais j'ai toujours été très optimiste, j'ai mon propre programme de remotivation positive, qui consiste à faire contre mauvaise fortune bon cœur. Je saluai Emiliana d'un « Qu'est-ce tu fous, tronche de cake ? ». Et, profitant de cet instant où je baissai la garde, elle se pencha pour se moucher sur mon épaule, me balançant ses crottes de nez en rafales, comme une sulfateuse russe. Plus lamentable qu'un stade sous une averse, mon estomac, rompu à l'art de la fugue, entonna son come-Bach. Depuis belle lurette, je n'attrapais même pas la crève, pas le moindre écoulement nasal pour me rincer l'œsophage. Je sautai donc sur cette malheureuse, qui gardait encore assez de sensibilité pour produire des pleurs et du mucus d'émotion. Je la couvris de voraces baisers.

– Si ça te dit, je peux t'étrangler et jeter ton corps à la mer. Ne crains rien, je ne suis pas cannibale, affirmai-je en me pourléchant les babines.

– L'éclat de tes yeux me fait peur, murmura Emiliana.

– C'est juste de la myopie, j'ai besoin de lunettes. Et puis, j'ai les pupilles trop dilatées... Va savoir avec quelle saloperie le flic a coupé la poudre qu'il me deale.

– En échange de quoi ? demanda l'innocente Emiliana.

– Oh, trois fois rien, je dois juste aller crier des consignes sur la place de la Révolution.

– C'est pas vrai ! Qu'est-ce que ce gouvernement a contre la nourriture, à la fin ! Et pourquoi il ne te donne que ces saletés qui peuvent te tuer ?

– T'as déjà vu un bourreau t'offrir une tête de rechange pour remplacer celle qu'il te coupe ?

Ce fut le pire été de nos vies, peut-être parce qu'il sembla le plus long. Avachies contre les rochers, nous avons glandé à l'infini. La faim, la soif et la peur nous faisaient dérailler. Tout à coup, Emiliana a commencé à rigoler ; son éclat de rire montait en spirale comme des œufs battus en neige. Moi aussi, je me tordais de rire, en m'écorchant le dos contre les écueils.

– Y a qu'Emiliana
pour nous passer l'envie...
d'un petit café, d'un petit café !

Nous avons chanté en chœur, pliées de rire.

– Tu sais... Est-ce que tu sais que dans d'autres pays... J'en peux plus... Y a des gens qui partent en vacances pour skier ! Hi, hi, hi ! Ha, ha, ha... !

– *Vive le vent ! Vive le vent d'hiver !*

Nous avons été prises d'un rire hystérique, avant de nous écrouler de sommeil. Les cadavres mutilés nous réveillèrent au lever du jour, des morceaux de corps gonflés couverts de coquillages et d'algues ballottaient sur le sable, au rythme de l'écume. Par inertie, Emiliana et moi avons continué à rire, ne sachant que faire d'autre.

Cosita et le pendule sexuel

On m'appelle Cosita, ou La Puce, parce que je n'ai pas beaucoup grandi.

Ce qui m'est arrivé est simple, mais pas facile à expliquer. Je l'ai vu venir comme un pressentiment, ou une oscillation. J'aurais pu me laisser surprendre par cette nouvelle palpitante alors que j'étais toute seule, ou bien dans un frôlement de lèvres et de caresses perdues, quand on jouait à cache-cache, sous le lit, à deux pas des grandes personnes. Mais cela n'est pas du tout arrivé de cette façon, ni d'aucune autre définissable. Ma tête a roulé de mes épaules dans le vide.

– L'appartenance sexuelle n'est pas déterminante, dit Omar tandis que nous sommes blottis contre les rochers de la petite plage, au bout de la rue 16. L'activité sexuelle peut avoir lieu aussi bien entre sexes opposés que semblables. Les premiers jeux sexuels sans autocensure se déroulent entre les jours qui suivent la naissance et l'âge de huit ans. Ensuite, le sujet acquiert une conscience correcte et le sens nécessaire de l'interdit. Le masculin et le féminin commencent à jouer un rôle fondamental. Les petites filles sont d'ordinaire plus précoces, plus débrouillardes, et plus intuitives aussi. Les garçons, malicieux, transforment immédiatement le désir en vice, et c'est pourquoi la majorité d'entre eux se masturbent plus tôt et plus souvent.

Omar a lâché sa tirade d'une traite, tel un médecin diplômé.

– Eh bien moi, je ne méprise pas la malice. Quand elle n'est pas négative, nocive, la malice est un moyen de l'expression sensuelle. La lubricité dans la tendresse est exquise. J'ai appris à me caresser sur le tard, vers dix-huit ans. Auparavant, je préférais trouver un petit ami pour le faire à ma place, histoire de ne pas m'engourdir la main, je suppose. Mais je goûtai les premiers plaisirs défendus, sans savoir qu'ils l'étaient, dès l'âge de sept ans. On trouvera peut-être que c'est tard, mais une fois lancée, je n'ai plus arrêté. Et ce fut justement sous le lit ou derrière une poubelle, en jouant avec un voisin plus vieux de quelques années, sa sœur plus jeune que moi, et son frère cadet. Il y avait aussi un de mes cousins, âgé de cinq ans, qui avait déjà des manières efféminées. On jouait à chat, en désignant celui d'entre nous qui devait poursuivre les autres dès qu'ils quittaient leur perchoir. Mon voisin me courait après de toutes ses forces, il faut dire que j'étais rapide, une vraie gazelle. Je faisais exprès de m'éloigner de la maison et des parents, je dénichais à tous les coups une cachette où je l'attendais pour lui coller un baiser sur la bouche et farfouiller dans sa braguette. Je me laissais guider par mes sens, car je n'avais jamais lu ni appris nulle part qu'en touchant là on donnait du plaisir aux garçons. Je n'étais pas à la fête de tomber sur une sorte de doigt solitaire ou de mirliton gonflé à bloc.

Omar éclate d'un rire sonore en écoutant ma confession.

– Mon idée du baiser s'inspirait surtout de ce que j'avais vu dans le film *Tom Sawyer.* Les lèvres serrées et rentrées, les personnages d'enfants fermaient les yeux et superposaient les lignes de leur bouche sans la moindre sensualité. Mais mon voisin, lui, s'y connaissait pour me sucer la pomme, et il me força à ouvrir les lèvres pour glisser jusqu'à ma glotte sa langue poreuse. Cette nouvelle sensation, plutôt violente, me refroidit. Mon trouble se glaça en un point inconnu. Il y a quelque chose de plus, me dis-je, qu'il me fallait découvrir sans attendre. Mais je ne saurais toujours pas dire ce que c'était, même aujourd'hui. Peut-être ne suis-je pas encore totalement éveillée sur le plan sexuel. C'est sans doute quelque chose de progressif, chaque étape de la vie gardant en réserve des mystères que la nature nous dévoile petit à petit, pour faire durer le suspense. Je me refuse à croire que l'énigme de l'érotisme disparaisse longtemps avant le dernier souffle de vie. Chacun sait que des octogénaires se marient et s'efforcent d'accomplir l'acte sexuel.

Entre-temps, Omar a touché en moi une corde sensible, ou deux : le clitoris et l'âme. Ainsi sommes-nous faites : âme, clitoris, vagin.

– Entre douze et quatorze ans, les filles guettent avec impatience l'arrivée des règles, mais elles ont déjà éprouvé cette palpitation, dans le clitoris ou le vagin, même s'il n'a pas été exploré par un pénis. À la même période, les garçons sentent affleurer une sève délicieuse à la seconde tête de leur corps, et ils commencent à être tirés du sommeil dans la nuit par de splendides éjaculations. Leur premier mouvement, au milieu de leurs rêves, est en général d'appeler leur mère. Mais en réalisant ce qui leur arrive, ils savent d'instinct qu'il leur faut consulter le père, le grand frère, l'oncle ou simplement des copains. L'éjaculation est annoncée à cet entourage. On la met à tort sur le même plan que la menstruation, en les considérant l'une et l'autre comme le signe qu'un adolescent devient homme ou femme. Les règles conservent la fascination du secret, jalousement gardé entre la fille, depuis son plus jeune âge, et sa mère. L'orgasme féminin, ni aussi fracassant ni aussi palpable que le masculin, a lieu bien avant que les ovaires ne soient aptes à la procréation. Laquelle ne constitue en rien une fin en soi, comme nous le verrons plus avant.

Omar suit mon discours d'une oreille distraite, en grommelant dans sa barbe.

– Ma fille a vu mon sang menstruel quand elle avait un an et demi. Un jour que j'étais assise sur les W.-C., elle a poussé la porte que j'avais oublié de fermer. J'ai voulu cacher ma garniture, mais je me suis aperçue que l'enfant n'y prêtait pas attention. Un peu plus tard, elle m'a demandé pourquoi j'avais du sang au zizi, et si je m'étais fait mal. Je lui ai fourni l'explication la plus simple qui m'est venue à l'esprit. Cela arrive aux femmes tous les mois, ne crains rien ma chérie, personne ne m'a fait de mal. Quand tu seras grande, cela t'arrivera aussi. Mais tu as le temps encore, et maman t'expliquera mieux à ce moment-là. Je crois l'avoir rendue plus sereine que moi le jour où, en rentrant de l'école, j'ai découvert mon slip maculé de taches brunes.

Deux jeunes gens arrivent sur la plage solitaire. Plus si solitaire que ça : avec nous, ça fait déjà quatre. Omar est gêné, même s'il reconnaît que parler « techniquement » du sexe le détend. Moi aussi. J'aime beaucoup parler du sexe, et m'en servir. Je poursuis :

– L'éveil sexuel inaugure l'affirmation définitive de la puberté. Dans la découverte unique du corps, de ses joies et de ses peines, la naissance du désir aux couleurs flamboyantes varie selon les lieux de la planète. En Afrique, le tableau est plus que sombre. L'approche de l'adolescence est un malheur. Le plaisir n'existe pas pour les filles, elles doivent subir, dès neuf ans, l'excision, qui consiste à extirper sauvagement le clitoris, les lèvres, et à coudre le sexe en condamnant impitoyablement tout désir. Elles ne seront décousues ensuite que le jour où le mâle décidera de les épouser ou de les posséder. Bien entendu, ce qu'elles pensent n'a aucune importance. Un grand nombre de fillettes meurent des suites de cette pratique, effectuée avec une lame de rasoir, à même le sol, sans asepsie et le plus souvent sans anesthésie. De quel éveil sexuel peut-on parler en ce cas-là ? Il n'y en a pas.

Omar pose son index sur ma bouche.

– Tu racontes des choses trop violentes, trop tristes. Stop !

– Regarde un peu le couchant, dis-je, histoire de changer de sujet. Cet immense soleil incandescent qui fond doucement dans la mer, comme une monnaie de feu, et ce ciel embrasé. Un spectacle pareil n'est pas donné à tout le monde. Les Havanais sont des privilégiés.

– Quand la découverte d'Éros coïncide avec les métamorphoses de la puberté, les sens deviennent des vases communicants entre l'esprit et la chair, et les échanges se font avec une ardeur et une beauté réellement poétiques. L'éveil sexuel est alors une donnée culturelle sur des générations dont le langage et l'imagination sont les viscères. Il naît du mystère de la cristallisation sublimée de l'instinct. Dominer la passion. Je trouve que l'on prête peu d'attention de nos jours, en Occident, aux insinuations, aux messages qui incitent à explorer des dimensions ignorées de la sexualité. La sagesse de l'Orient en matière d'érotisme et d'amour est bien plus grande. L'éveil n'a pas lieu en une seule fois, ni de manière unilatérale. Éros et Thanatos, amour et mort, sont présents dans chacun des orgasmes de notre vie. Le film *L'Empire des sens*, curieusement devenu film culte après avoir été censuré, en est la preuve. À l'instant unique de l'orgasme où nous croyons sombrer dans l'au-delà, notre voyage est aussi un voyage culturel. Un autre film le révèle, *Hiroshima mon amour*, qui, par-delà la dimension politique de son scénario, met l'accent sur la communication érotique entre l'amant asiatique et l'amante occidentale, conclut Omar.

– Et c'est toi qui me dis de changer de disque ! Boucle-la, tu veux, et pénètre-moi.

– Tu parles ! Pas moyen de bander avec ces deux-là qui nous épient.

– Nous ne nous éveillons pas à la sexualité une seule fois. Nous pourrons en connaître des recoins inexplorés si nous approfondissons notre apprentissage, ou bien en rester à un degré de simplicité, tout dépend de la vie de chacun. Je connais depuis l'enfance une femme que j'appellerai X. Elle a toujours été attirée par les hommes, mais un beau jour elle m'a annoncé qu'elle ne voulait plus avoir de relations avec eux. Elle avait fait la connaissance d'une femme qu'elle aimait comme elle n'avait aimé personne depuis très longtemps, d'une manière absolument inédite, nouvelle. X venait d'avoir quarante ans, et la femme en question avait la cinquantaine. Elle m'a dit : « Jamais une femme ne m'avait plu, je ne suis pas lesbienne, mais celle-là me plaît et je l'aime. Je veux vivre avec elle. » Et, plantant là son mari, elle est partie la rejoindre à l'autre bout de la planète, et elle y est restée. Cela ne m'a guère étonnée. Je me suis souvenue d'une scène qui remontait à une vingtaine d'années auparavant. X a toujours été ma grande amie, et on était alors ensemble à la plage avec nos petits copains. X avait attendu qu'ils s'éloignent et, tandis que nous faisions la queue pour acheter des pizzas, elle m'avait avoué que son fiancé la terrorisait, il voulait à tout prix, mais pas elle, elle n'en avait pas envie. Elle parlait de la pénétration. X s'est ensuite mariée et n'a pas eu d'enfants. Elle n'a jamais vraiment apprécié les relations sexuelles avec son mari. X n'admettait pas sa bisexualité, ou son homosexualité, car son éveil sexuel, de quelque bord qu'il fût, n'avait pas encore eu lieu.

– Tout ce tintouin pour virer goudou ! Ça en fait de la théorie pour brouter du gazon !

Omar a le don d'être très vulgaire, quand il veut.

– Parfois, je me demande si la sexualité doit toujours être située sur un bord déterminé. La sexualité du XXIe siècle sera probablement androgyne. Sur les Champs-Élysées ou la Cinquième Avenue, les hommes et les femmes se différencient de moins en moins. Elles ont gagné du muscle, ils ont perdu des poils. Brad Pitt, le type le plus sexy du monde, a un minois scandaleusement féminin, tout comme Leonardo Di Caprio. Madonna a cultivé avec courage une bisexualité affichée et un look masculin, même si l'aspect maternel a fini par l'emporter. Tout cela pour dire qu'un éveil sexuel collectif est très probable en ce nouveau siècle, mais il sera lent, progressif et se nourrira de chaque expérience. Parallèlement, l'être humain deviendra de plus en plus équilibré, libre d'inhibitions, ouvert aux relations de hasard et lucide face à la maladie. En attachant de l'importance aux petits détails qui font le monde, nous avancerons vers une dimension sexuelle que nous percevons encore à peine.

– Ton laïus est pas très gai, dis donc, si tu continues, tu vas me mettre la bite en berne et me couper la chique.

– Moi, j'ai bien eu la tête coupée ! Et puis, c'est toi qui as commencé, je lui rétorque. Peut-être le désir te serait-il rendu par la sublimation d'un amour sans complexes ni carcans, comme celui de Dante pour Béatrice ou de Pétrarque pour Laure, sans nécessité même que Dante soit homme et Béatrice femme. Une sexualité qui ne se baserait pas sur des différences, des morales, des religions, des idéologies, nous permettrait certainement de trouver le véritable point divin de l'éveil sexuel, hors des figures imposées. Pour Platon, dans le *Banquet*, l'amour est une somme d'aventures, dont chacune est différente et solitaire, même si la compagnie est nombreuse. La prêtresse Diotima de Mantinée assure que l'amour commence avec la générosité d'un beau corps et qu'il serait absurde de ne pas reconnaître que d'autres corps sont beaux, eux aussi. J'emprunte cette référence à un essai fondamental d'Octavio Paz sur les relations entre amour, sensualité et érotisme[1]. Bien que l'auteur ne traite pas directement de l'éveil sexuel, son travail fourmille d'exemples et de réflexions qui nourrissent à l'infini nos pensées sur ce sujet, car je me garderai bien de conclure. Les conclusions sont inutiles, sauf comme tremplins vers de nouvelles recherches.

– Profites-en maintenant qu'ils se tirent pour redresser la barre et me tailler une bonne pipe, susurre Omar en se pourléchant les babines.

Je baisse la tête et introduis le pénis entre mes lèvres. En suçant la peau lisse de son gland, je m'efforce encore de formuler laborieusement quelques idées, la bouche pleine.

– La richesse morale et charnelle d'une époque pourrait se mesurer à ses frontières invisibles entre l'âme et le corps. En parlant de « sublimation », je voulais justement évoquer un désir qui n'aboutit ni à l'enfer ni à la contemplation. L'éveil sexuel ne doit pas avoir pour seule finalité la procréation, ainsi que l'impose l'Église. L'emprise de la morale religieuse stricte, non seulement du catholicisme mais aussi des religions fondamentalistes, a mis des barrières à l'exploration du sexe par l'individu. Je veux parler de sa sensibilité érotique, à ne pas confondre avec la promiscuité ou la pathologie. Il n'existe pas de chemin idéal en matière de sexualité, aucune méthode. Les êtres qui nous entourent

1. *La llama doble. Amor y erotismo,* Barcelone, Seix Barral, Biblioteca Breve, 1993.

peuvent signifier pour nous le meilleur comme le pire, c'est-à-dire l'autodestruction. Le premier grand amour est celui de la mère, quand elle répond aux attentes de l'enfant et qu'elle est une bonne mère. Au bout des six premiers mois, à la fin de l'allaitement, elle cesse d'être notre amante pour regagner les bras de l'autre, du père. Si la tendresse est présente à ce moment-là, des portes s'ouvrent sur des horizons insoupçonnés du monde et de la sensualité. Ce seuil nous donne l'appétit de vivre et la confiance pour aborder à l'avenir les surprises, les ruptures, les évolutions comme les involutions.

La pointe de son sexe heurte ma glotte par saccades, au plus profond de ma gorge.

– La deuxième relation externe est la peluche ou le doudou, auxquels les enfants se cramponnent jusqu'à deux ans. L'objet de transition est un compagnon fidèle qui permet la séparation nécessaire du sein maternel au profit de relations extérieures. Celles-ci seront la source de nouvelles sensations pour l'odorat et le toucher du bébé, tous deux primordiaux pour son éveil sexuel. La troisième étape est plus virulente chez les filles, car la présence du père détermine leur appréciation ultérieure des garçons. Le petit garçon devient jaloux, tandis que la petite fille tombe facilement amoureuse de la figure paternelle. Entre cinq et six ans, l'ingénuité et le mépris dominent. Le garçon va être attiré par une fille laide et bête. Les filles trouvent les garçons ennuyeux et méchants. Certaines copient le modèle familial. Ainsi, après un divorce, si la mère change souvent de partenaire, la petite fille aura tendance à parler tôt de fiancés invisibles, inventés pour rivaliser inconsciemment avec elle. Elle cherchera aussi des modèles ailleurs. Son imagination sera attirée par le sexe, c'est l'une des raisons pour lesquelles certaines fillettes sont plus précoces, même si cela peut aussi arriver dans des familles très rigides et sans histoires.

– Dis donc Cosita, ça t'ennuierait de me sucer sérieusement sans me les briser avec tes conneries ? Putain ! Ça y est, tu m'as mordu ! Fais gaffe, ma choute, tu vas me châtrer avec tes dents !

– OK, mais laisse-moi finir. Je connais deux fillettes. L'une a six ans et ne cesse de parler de sexe. Si, dans un film tout public, elle voit un baiser sur la bouche, elle s'écrie : « Regarde, ils font l'amour ! ». Si elle entre dans un café avec sa mère ou un autre adulte, elle se dirige tout de suite vers le coin des hommes, elle aime écouter les conversations des grandes personnes. L'autre fillette, qui a sept ans, est plutôt innocente et rêveuse. Sa copine, qui dort souvent chez elle, lui a déjà demandé la nuit de l'embrasser sur la bouche et de faire l'amour avec elle. Elle est d'un caractère imprévisible, peu sociable, elle ment. Sa découverte du sexe se fait sous le signe de la méfiance et de la souffrance. Elle a été perturbée par la séparation brutale de ses parents, qu'elle a vus se battre sauvagement sous ses yeux, et peut-être aussi se rabibocher sous les caresses, sans aucun égard pour ce public qu'ils devraient protéger plus que tout. Certains de ces enfants seront considérés tout bonnement comme des dégénérés, pervers et précoces. Si les jouets, comme les poupées toujours dépourvues de sexe, sont très importants, c'est surtout par la manière de les offrir et le sens qu'on leur confère. Car le risque, ce sont finalement les adultes que nous sommes, avec nos carences, nos ignorances inconnues. Toutes les étapes comptent, mais les trois dont je viens de parler modèlent notre sensibilité, car celle-ci dépendra de l'attitude que nous avons pu avoir en les traversant.

– Ce que tu peux être chiante ! Où es-tu allée pêcher tout ce blabla ?

– Dans des revues étrangères.

– Je vois, c'est du diversionnisme idéologique !

– Selon l'opinion la plus répandue, la sexualité humaine met en contact essentiellement deux individus de sexe opposé. Les baisers, le regard, les caresses sur le corps sont vus comme des manifestations accessoires, secondaires, des préparatifs. La tendance sexuelle apparaît au cours de la puberté. Certaines personnes éprouvent alors de l'attirance pour leur propre sexe et ne sont pas intéressées de prime abord par une relation mécanique au sexe. Pour d'autres, le plaisir n'est pas lié aux organes génitaux reproducteurs. Freud a écrit que la vie sexuelle ne commence pas à la puberté, mais qu'elle se manifeste dès la naissance. Il distingue le génital du sexuel, qui désigne selon lui un grand nombre d'activités non liées aux organes sexuels. (Cela me rappelle Lou-Andréas Salomé remémorant à Rainer Maria Rilke, dans une lettre, combien elle aimait qu'il lui demande, pour le plaisir des yeux, de vider sa vessie dans un broc de porcelaine avant de faire l'amour.) Freud ajoute que la vie sexuelle comprend la fonction qui consiste à tirer du plaisir de diverses zones du corps. Cette fonction sera mise plus tard au service de la fonction de procréation sans que les deux coïncident totalement pour autant, loin s'en faut.

On a changé de position et j'ai glissé son sexe

dans mon anus. À La Havane, tout est possible en plein air.

– Du coup, on se demande si les jeux des enfants avec leurs organes génitaux doivent être qualifiés de purement sexuels. N'est-ce pas faire la part belle à des préjugés révolus ? La sexualité, après une phase latente, renaît avec une vigueur renouvelée, et la bouche retrouve le rôle majeur qu'elle avait eu pendant l'allaitement, elle devient l'organe du désir, la zone érogène par excellence. Beaucoup d'enfants sevrés commencent à sucer leur pouce, une tétine, un chiffon, ou l'oreille d'un lapin, jusqu'à ce qu'ils découvrent la masturbation. En suçant, le bébé apprend qu'il possède un lieu qui peut lui donner un plaisir merveilleux. Aussi Freud qualifie-t-il de sexuels la bouche et le fait de sucer pendant l'allaitement. Cela n'a rien d'indécent. La chose sexuelle n'est pas indécente, pas plus que la perversion n'est nécessairement assassine. Une perversion peut être vécue dans un couple naturellement, sans faire de mal à personne. L'homosexuel non plus n'a pas à être traité de pervers. Le jeu est en fait dit pervers dès qu'il s'éloigne des conventions. Sur ce point, je me sens plus proche de Jung que de Freud. Il n'y a pas d'explication symétrique, pour les filles, à la relation œdipienne du fils à sa mère. Absence mystérieuse. À un moment de leur vie, les filles ne veulent rien savoir du sexe et s'en éloignent par la voie du rêve. Cela se produit vers huit-neuf ans, sous l'influence probable de la découverte de la modeste taille de leur clitoris face au pénis.

– Après ce superbe discours, tu voudrais pas me sucer encore un petit peu ?

J'accepte, car j'ai le croupion en feu, prêt à couler un bronze.

– Je connais depuis peu une femme, la mère d'anciens camarades d'école, qui nous a raconté que, pendant sa puberté, elle faisait l'amour avec les arbres. Elle était de la campagne. Elle adorait se frotter contre les troncs. Mais comme cela lui faisait mal, elle a pris peur de son sexe. C'est lui qui l'obligeait à faire des trucs bizarres. Pendant sa toilette, toucher son clitoris et les bords de son vagin la dégoûtait. Je connais aussi une autre femme, la trentaine, qui avait eu une foule de partenaires sans jamais atteindre l'orgasme. Un jour, elle a essayé la pénétration anale et elle en a éprouvé un coup de fouet sur le clitoris et le vagin qu'elle n'avait jamais connu auparavant. Dans ces deux cas d'éveil sexuel, la douleur a été la source du plaisir. Comme un pendule métaphorique, notre corps, dans son embrasement érotique, est un oracle qui nous libère de la force de gravité pour nous projeter vers l'infini. L'orgasme nous propulse dans l'apesanteur physique et spirituelle pour quelques secondes. Deux zones mystérieuses s'unissent à cet instant, sans que nous sachions encore les nommer. Ouvrir les yeux, ouvrir le corps, les pores, la bouche, le sexe, le cerveau. À partir de onze ans, la confusion s'installe. La fillette veut se mesurer à ses camarades, la comparaison se substitue au désir, avec son cortège de jalousies et de caprices. L'éducation s'efforce de mater la brutalité des instincts. À quinze ans, l'adolescent se sent maître de ses droits, il a découvert qu'il détient le pouvoir de féconder. L'adolescente marche encore sur un nuage, elle imite sa chanteuse favorite, porte des vêtements pour séduire, des minijupes. Elle découvre la beauté de ses jambes, de ses seins ronds et fermes, de ses hanches. Et aussi les risques de la séduction. Ses charmes en font une star, mais elle préfère les montrer à des personnes du même sexe. La présence masculine est admise comme un ingrédient provocateur. Les lolitas et les extravagantes ne manquent pas, mais cette étape mène à l'autonomie et à l'affirmation de la féminité.

– Ma parole, Cosita, t'es la reine des suceuses philosophes !

– N'est-ce pas ? je lui réponds, en peaufinant mes idées théoriques et ma pratique. Seize ans est l'âge, en général, du premier amour, ou de la première désillusion, chagrin inévitable et nécessaire. L'apprentissage sexuel avec une personne du même âge a toujours des limites. La fille sera plus mûre et plus exigeante. Après vingt ans, on recherche le modèle du père ou de la mère, l'homme mûr, la femme faite. La jeune fille veut se sentir femme désirée. Le véritable amour survient à vingt-trois ans, celui qui peut vous embarquer vers sept années de malheurs et de ratages, ou bien vers un bonheur épuisant. Vers la trentaine, la femme prend goût aux brèves rencontres, au coup d'un soir. Les hommes sont arrivés depuis belle lurette par un chemin différent au même genre d'aventures.

C'est là que je réalise que j'ai débité une tonne de bobards sans être plus avancée qu'au départ. Je crois finalement que, dans ce genre de choses, nos impressions doivent nous guider, ces sensations nées d'illuminations que nous avons tous connues un jour ou l'autre sur le sexe, et qui sont si précieuses pour la vie. Omar vient de jouir, moi non plus.

– Allez ouste, Cosita ! On n'a plus le temps. Faut rentrer à l'hosto avant qu'ils se rendent compte qu'on a filé.

Je m'appelle Cosita, je n'ai pas grandi. Ça tourne pas rond dans ma tête. Omar est mon infirmier. Aujourd'hui, la mer était très bleue, le soleil très jaune d'abord, et puis très rouge. Omar m'emmène par la main. Si on ne se dépêche pas, on trouvera porte close à l'asile.

L'extravagante et l'écrivaillon de la petite Havane

Durant une période d'une durée aussi insolite que trois décennies, Miami a été considérée comme une parodie de La Havane. Ou du moins un faubourg. Tout ce qui arrivait de Miami, à part les dollars, la pacotille et les médicaments, puait le crime et le vice. Cette vision s'est transformée ces dix dernières années, depuis que, avec l'entrée en vigueur de la Période spéciale, un nombre scandaleux de Cubains a manifesté son irrépressible désir d'exil. Pourtant, jusqu'à une date récente, la presse du monde entier a continué de désigner les exilés de Floride en parlant de mafia radicale, ou de République bananière.

Miami, cette friche transformée par les Cubains en cité prospère, est cataloguée comme une copie simpliste de La Havane. Il est vrai que les restaurateurs et les autres commerçants se sont inspirés de leurs anciens établissements expropriés par l'État, dont les originaux ont ensuite disparu à cause de l'incurie ou de l'acharnement du pouvoir. Ainsi,

La Moderna Poesía, qui avait été pendant les années cinquante la librairie havanaise par excellence, s'est effritée peu à peu, pour ne plus proposer que de la propagande ou des discours (et, au mieux, des titres de médiocres écrivains chouchous du système), avant de s'écrouler tout à fait comme le reste. Pendant ce temps-là, La Moderna Poesía de Miami, ou La Universal, entre autres librairies tout aussi prestigieuses, offraient un immense choix de livres dont la variété n'avait rien à envier aux librairies de SoHo.

Miami est née comme une copie qui finit par dépasser son original. Le faubourg est devenu le centre de gravité de la vie politique et culturelle cubaine. Car La Havane tout entière passe un jour ou l'autre par Miami. C'est aujourd'hui la capitale de Cuba, même si La Havane reste l'une des plus belles villes (fantômes) du monde. Le foyer artistique et les discussions démocratiques de Miami – quand la racaille et les mouchards de tout poil ne s'y infiltrent pas – ont surpassé l'ennuyeux monologue de l'île. Je l'ai déjà dit, Miami est le point de convergence de la terre entière. Aussi trouve-t-on de tout dans ce foutoir, à profusion. Même des espions, des extravagantes, et des écrivaillons.

L'Extravagante d'exportation s'offre un voyage de trente-cinq minutes dans un ciel radieux pour venir baigner trois mois dans le climat libre-penseur de Miami. Elle commence par une tournée des maisons où elle raconte ses frustrations ordinaires. Manière de soutirer cinquante dollars, quand ce n'est pas cent, au premier venu. Avec la bénédiction du régime, elle organise – de sa propre initiative – des récitals de poésie inspirés des lectures de l'œuvre de Cesare Pavese, ou d'une anthologie de phrases *percutantes** de Georges Bataille. Elle esquive constamment l'ornière politique, assurant à chacun qu'elle est fidèle à ses idées. Fidèle à Fidel, sans aucun doute, et pompe à dollars. Elle lâche deux ou trois phrases risquées, estampillées par le Comité central, avant de se lancer dans du shopping à haute dose : sa cure de désintoxication des pénuries insulaires. Son sujet de conversation le plus profond, ce sont les maris successifs qu'elle a endurés, et ses permanentes douleurs ovariennes. C'est une jeune artiste éternelle, quoique le calendrier lui donne la cinquantaine. Le pire est l'ingénuité avec laquelle Miami accueille ce genre de garce.

L'Écrivaillon, lui, est le conférencier typique, un Je-Sais-Tout bouffi d'orgueil. C'est ce premier de la classe qui se faisait péter la gueule par les mulâtres riches de la vieille Havane, et qu'il m'est arrivé alors de défendre – en garçon manqué, de sexe bien défini toutefois à l'heure de vérité – par pure connerie altruiste. L'Écrivaillon se prend pour l'Arthur Rimbaud des tropiques. Expulsé de Cuba à coups de pied dans le cul, il est devenu à présent – pour suivre la mode – un pourfendeur de l'exil. De fait, il a effacé ce mot de son vocabulaire pour le remplacer par « diaspora ». Imaginez-vous qu'en plus, à Miami, on danse, et il n'est pas du tout de ce milieu-là, il est coincé pour les siècles des siècles. La farandole n'est pas du tout son truc : il appartient à la race philosophique des amateurs de prise de tête. Qui sera toujours un crève-la-faim, à Guaracabuya[1] comme partout ailleurs, et qui

1. Le village perdu par excellence, sorte de Trifoullis insulaire. *(N.d.T.)*

baratine comme il respire. L'Écrivaillon croit qu'il lui suffit de s'exiler à Miami pour recevoir le lendemain le Nobel par Federal Express. Alors, au bout d'un an et demi, quand il a obtenu la *greencard*, il écrit à l'ambassade cubaine à Washington pour réclamer en pleurnichant un visa touristique pour entrer dans son propre pays, en jurant, preuves à l'appui, qu'il est une vermine repentie. S'il a du bol, c'est-à-dire s'il supporte stoïquement les humiliations en tout genre des diplomates, il a des chances d'arpenter six mois plus tard les rues de La Havane. Il s'offrira alors une chambre simple dans un hôtel local plus cher que le Waldorf Astoria, et distribuera à la ronde des dollars qu'il n'a jamais eus et n'aura jamais, mais peu importe, à Miami on peut obtenir des crédits de toutes les couleurs. Il louera une salle de conférences à la Casa de las Américas, histoire d'avoir une chance de déclamer ses vers, en attendant l'hommage ardemment convoité. Il paie tout, même son meilleur ami, afin de se faire militariser les plis de l'anus par un sexe patriotique national coco. Le dernier cri : baiser *en cubano.* Son ex-petit ami est un raté, qui n'a pas été fichu de lever un touriste ibère cousu d'or, ni de voler une barque. Raison de plus pour mettre toute sa profondeur philosophique au service des Cubains venus du nord, car c'est la voie la plus sûre de réunir le fric qui lui permettra de payer à l'État un hors-bord clandestin pour traverser le Détroit de la Mort. Si les requins ne le mangent pas, et que les gardes-côtes ne le renvoient pas, il débarquera à la capitale de l'Allégresse. Plus abattu que battu, il attendra un an et un jour, obtiendra son autorisation de résidence, puis filera comme une flèche à l'ambassade cubaine à Washington pour quémander à genoux un visa d'entrée dans son propre pays, *et ainsi de suite**... Tels sont les Écrivaillons, une goutte d'eau au regard du nombre d'exilés, mais à consommer avec modération.

Miami est le destin. Le pont vers le futur. Miami a un Café Nostalgia à tomber par terre. Une Fête du livre libre. Une Ermite de la Vierge de la Charité très miraculeuse. Une journaliste comme María Elvira Salazar, célèbre pour ses face-à-face polémiques à la radio et à la télévision. Un savant amusant, Luis Aguilar León, puits de science cubaine. Un peintre de l'envergure de Cundo Bérmudez. Une Cristina Saralégui, animatrice de talk-show plus futée que le diable. Un historien galant homme, Manuel Moreno Fraginals. Un Argentin enfin raisonnable, le journaliste Andrés Oppenheimer. Un Jaime Bailey, qui est, à l'instar de Mario Vargas Llosa et son fils Alvaro, un écrivain péruvien ami des Cubains. Une foule de musiciens, de peintres, d'écrivains, d'historiens et de journalistes prestigieux. C'est dommage pour La Havane, qui ne lui arrive pas à la cheville. Elle s'éloigne même un peu plus à chaque seconde, dans sa pauvre survie, de ces nuits lumineuses, miroir d'elle-même avant le cataclysme. Ses personnages légendaires, ses mythes, se sont enfuis à Miami ou vers d'autres lieux saints.

À Miami, l'enfant aux dauphins jouait aussi heureusement que le peut un enfant sauvé du naufrage, quoi qu'en ait dit la presse, qui aurait mieux fait d'aller enquêter à Cárdenas, son village natal. Dans quel recoin ténébreux de La Havane est allé s'enterrer son sourire ? La Havane est aujourd'hui une ville « blessée d'ombres », envahie par l'obscurité, comme le gémissent dans leur boléro Los Zafiros, du fond de leurs tombes. La Havane est aujourd'hui un musée éclectique où se mêlent victimes complaisantes, marchands, opportunistes et touristes ignorants. On demanda à un jour à un Américain :

– Est-ce que La Havane est la partie de Cuba la plus proche des États-Unis ?

– Non, c'est Miami, répondit-il sans hésiter.

Dans cette comparaison absurde, Miami aura sans aucun doute pris l'avantage, mais seulement pour cette longue période. Car c'est Miami qui, de ses mille feux, ressuscitera La Havane, lorsque la capitale renaîtra à la vie et à l'œuvre. Nous la rebaptiserons la Reine des Mystères. Et nous, ses amoureux, nous y donnerons rendez-vous dans une fête future. Espérons qu'il restera quelqu'un pour nous souhaiter la bienvenue.

La fabuleuse esquina de Teja

Si je le pouvais, j'emporterais sur mon dos mon coin de rue parisien préféré, et j'irais le superposer au coin de rue havanais que j'aime le plus. Le déménagement serait moins brutal. Cela donnerait une ville idéale, mi-Havane mi-Paris, où les mystères de l'une et de l'autre ne se mêleraient plus dans le chaos de mes rêves, mais s'entrecroiseraient pour créer une architecture inouïe. Je prendrais le coin des rues Beautreillis et Charles-V, et je le collerais sur l'angle des rues Muralla et San Ignacio. Ou bien, je ferais coïncider le croisement du boulevard Bourdon et du boulevard Sully et celui des rues Empedrado et Villegas. Ou encore je superposerais le coin de M et Calzada avec la pointe de la place Saint-Michel.

Si la plate réalité n'entravait pas mes désirs, j'évoquerais cette *conga* orchestrée par le Lynx de la place Saint-Michel à la Bastille, le fameux jour où la Gaule a gagné la Coupe du monde de football... Nous hurlions, en jouant aux Français : « On a gagné ! Vive la France ! »

Nos pieds nous porteraient, toujours au rythme du bongo et des maracas, jusqu'à l'un de ces carrefours havanais, celui des rues Once et Cuatro pour faire plaisir au Lynx, ou au Coin chaud des rues 23 et 12. Nous serions sans doute une foule d'exilés à danser vers un port d'attache bien précis, à travers les rues de Paris, Madrid, Barcelone, Stockholm, Berlin, Tokyo, Rome, Venise, Milan, Londres, Amsterdam, Bruxelles, Monaco, Tenerife, Le Caire, Moscou, New York, le New Jersey, Boston, sans parler de Miami, et quelques autres villes et provinces du monde, et même de l'île inventée sur le Net, la Guaracabuya virtuelle, en direction de la cité promise, la Reine des Mystères. La jubilation d'une bringue à tout casser ferait monter notre adrénaline jusqu'au ciel. En avançant, nous construirions une ville imaginaire, méli-mélo de tous les carrefours aimés de par le monde. Et nous l'aborderions en nous glissant à coups de *guaracha* le long de ce pont mélodieux, arc-en-ciel de fête, tendu depuis l'autre rive par ceux qui, des lustres avant nous et pour des raisons différentes, ont vécu l'expérience de la fuite, leur espoir pour tout bagage. Notre signe de ralliement serait peut-être la trompette, ou le bongo martelant dans notre mémoire la destination de ce voyage :

P'a la esquina de Teja...
(Vers le coin de la rue Teja...)

Bartolomé Maximiliano Moré Benítez, plus connu sous le nom de Beny, le Barbare du Rythme, a quitté son village natal, Santa Isabel de las Lajas, en 1943, pour La Havane, planqué dans un camion de marchandises, sa guitare serrée contre lui. Il a arpenté les rues et les bars avec sa nostalgie en bandoulière. Tel un guide virgilien, nous le devinons qui nous tend la main en guise de visa pour franchir le pont arc-en-ciel, accompagné du Trío Matamoros, de María Teresa Vera, du cri de rut de Pérez Prado, puis le merveilleux mambo nous enlace, avec les coups de pouce affectueux de Miguelito Cuní et de Chapottín à la Gloire de Cuba : *Gloria* Estefan. Maintenant, tout près de Beny, voilà Celia Cruz, qui se déhanche, un-deux-trois-cha-cha-cha, la Guarachera de Cuba et de Santos Suárez en personne. Isolina Carrillo lui glisse un secret à l'oreille avant de lui présenter Lucrecia l'adorable, dont l'ardeur contagieuse remue ses tresses colorées et nos entrailles. Étincelante en haut de l'arc-en-ciel, Olga Guillot, l'olgasme havanais, implore *mens-moi encore*[1], romantique à mort, avec sa tête appuyée sur ses mains de glace au coco et sa voix ensorcelante. Paquito D'Rivera et Chico O'Farill escortent Guadalupe Yoli Raymond, dite La Lupe, la mulâtresse à la poitrine de DCA, moulée dans un imper argenté, qui a fui de Santiago de Cuba à vingt et un ans pour rejoindre directement et sans escale La Red, le night-club à l'angle des rues L et 19. Où elle devint une diva flamboyante, avec sa luette ardente qui roucoulait dans sa gorge pour devenir un talon aiguille – un dard[2] – qu'elle jetait à la tête du pianiste en tapant du pied comme une folle furieuse. Elle s'en prenait à grands cris à ses propres seins, gratifiés de

1. Ici, les passages en italique sont des évocations de chansons cubaines. *(N.d.T.)*

2. Selon la définition de Mercedes García Ferrer, la poétesse du coin des rues 21 et M. *(N.d.A.)*

griffures et pincements tous azimuts. Elle se jetait la tête la première contre le mur. Ah, La Lupe ! Ravivant en moi la flamme du cabaret. Quand j'étais petite et que l'on me demandait ce que je voulais faire quand je serais grande, je répondais des choses aussi dissemblables que parachutiste, joueuse d'échecs ou danseuse de cabaret... Albita, ma *Guajira, guajirita,* donne-moi la main, colombe au vol torride et sublime, ouvre-moi cette brèche de tes ailes. Plus loin, sur le pont coloré, voici Bola de Nieve, le Noir aux dents aussi radieuses que les touches de son piano, chantant en duo avec Rita Montaner, nous invitant, avant d'aller passer la nuit *au coin de la rue Teja,* à faire escale au Monseigneur, situé à son croisement préféré, celui des rues L et 19, là où lui et son piano, telles deux décalcomanies, plongeaient le monde dans un ravissement extraordinaire, bien au-delà de l'inoubliable. Marisela Verena me chante à pleins poumons qu'en fait *son amour est trop grand pour moi.* Ma belle, chante-moi un peu du *Son de las tres décadas* (quatre décennies, à présent...) pendant que nous cherchons Willy Chirino le temps de grimper dans son *carrosse qui est en train d'arriver* avec Chano Pozo, Freddy et Bebo Valdés. Pancho Céspedes, Amaury Gutiérrez, David Torrens, Omarito et l'orchestre Café Nostalgia arrivent à ce moment du boléro avec les voix charmeuses de Miguel Bosé, Alejandro Sanz, Manuel Mairena, Juanito Valderrama et Pepe de la Matrona, qui entonnent en chœur les *Cantos de Ida y Vuelta...* Et de toutes leurs mélodies, et bien d'autres, ils mèneront la danse d'un défilé immense, presque interminable. La superposition chimérique de tous nos coins de rue aboutira à celui où chacun de nous a fredonné un jour ou l'autre son pot-pourri personnel, tiré d'un répertoire qui va de la *habanera* au *son* : la fabuleuse *esquina de Teja,* diamant oublié dans un ruisseau des faubourgs.

Paris, août 2000.

Table des matières

DANS LA MÊME COLLECTION

ANDERSON Alston
Le Tombeur

ASCH Sholem
Marie, mère de Jésus

BERNLEF J.
Chimères
Secret public

BEYER Marcel
Voix de la nuit

BLACKBURN Julia
Daisy et les aborigènes
Le Livre des sortilèges

BLASCO IBÁÑEZ Vicente
Mare Nostrum

BOJER Johan
Le Dernier Viking

BORNEMARK Kjell-Olof
La Roulette suédoise

BOROWSKI Tadeusz
Le Monde de pierre

CANIN Ethan
Le Voleur du palais
Vue sur l'Hudson

ČAPEK Karel
L'Affaire Selvin

COTRONEO Roberto
Presto con fuoco

COWAN James
Le Rêve du cartographe
Le Testament du troubadour

CRUMEY Andrew
Pfitz
Le Principe d'Alembert

D'ANNUNZIO Gabriele
L'Enfant de volupté

DESAI Kiran
Le Gourou sur la branche

DJILAS Milovan
L'Exécution

DONLEAVY J. P.
La dame qui aimait
les toilettes propres

DONOSO José
Ce lieu sans limites
Ce dimanche-là
Casa de campo
Le Couronnement
Le Jardin d'à côté

DUNCKER Patricia
La Folie Foucault

ENGEL Marion
Ours

FASCHINGER Lilian
Magdalena pécheresse

FEUCHTWANGER Lion
Le Roman de Goya

FRAZIER Charles
Retour à Cold Mountain

GALSWORTHY John
(Prix Nobel)
La Dynastie des Forsyte

GORENSTEIN Friedrich
Scriabine

GREGOR-DELLIN Martin
Le Réverbère

HAMSUN Knut (Prix Nobel)
Mystères
Le Dernier Chapitre
Victoria
Sous l'étoile d'automne
La Dernière Joie
Un vagabond joue en sourdine
Benoni
Rosa
Sur les sentiers où l'herbe repousse
Femmes à la fontaine
Enfants de leur temps
La Ville de Segelfoss
Pan
Esclaves de l'amour
Rêveurs
Le cercle s'est refermé
Auguste le marin
L'Eveil de la glèbe
Mais la vie continue

HESSE Hermann (Prix Nobel)
Le Loup des steppes
Le Voyage en Orient

Narcisse et Goldmund
Peter Camenzind
Le Jeu des perles de verre
Gertrude
L'Ornière
Rosshalde
Knulp
Le Dernier Été de Klingsor
Enfance d'un magicien
Les Frères du soleil
Berthold
La Leçon interrompue
Une petite ville d'autrefois
La Conversion de Casanova
Le Poète chinois
Fiançailles
Souvenirs d'un Européen
Contes merveilleux
Histoires d'amour

HOFFMANN Gert
Le Bonheur

ISHIGURO Kazuo
L'Inconsolé
Quand nous étions orphelins
Les Vestiges du jour

JAMES Henry
Les Dépouilles de Poynton

JOLLEY Elisabeth
Le Mensonge

KASACK Hermann
La Ville au-delà du fleuve

KAZAN Elia
America America

KOESTLER Arthur
Croisade sans croix
Le Zéro et l'Infini
Les hommes ont soif
La Corde raide
Les Hiéroglyphes
Les Call-Girls
Spartacus

KOESTLER Arthur et Cynthia
L'Étranger du square

KOVIC Ron
Né un 4 juillet

KRLEZA Miroslav
Le Retour de Philippe Latinovicz
Mars Dieu croate

LAWRENCE D. H.
Le Paon blanc
Mr. Noon

LERNET-HOLENIA Alexandre
Le Régiment des Deux-Siciles

LEROI JONES
La Mort d'Horacio Alger
Le Système de l'enfer de Dante

LISH Gordon
Dear Mr. Capote
Le Deuil aux trousses

LODEMANN Jürgen
Lynch

LOGUE Antonia
Double Cœur

MAWER Simon
Le Nain de Mendel

MENEGHELLO Luigi
Les Petits Maîtres

MERAY Tibor
Le Dernier Rapport

MITCHELL Joseph
Le Secret de Joe Goulg

MOSSINSOHN Igal
Judas

MULISCH Harry
L'Attentat
Les Noces de pierre

NOOTEBOOM Cees
Rituels
Dans les montagnes des Pays-Bas
Philippe et les autres

OTERO SILVA Miguel
Et retenez vos larmes
Lope de Aguirre,
prince de la liberté

OZ Amos
Ailleurs peut-être
Mon Michaël
Jusqu'à la mort
Toucher l'eau, toucher le vent
La Colline de mauvais conseil
Un juste repos
La Boîte noire
(Prix Fémina Étranger)
Connaître une femme
La Troisième Sphère
Ne dis pas la nuit
Une panthère dans la cave

PERCY Walker
L'Amour parmi les ruines
Les Signes de l'Apocalypse

PINARDI Davide
L'Armée de Sainte-Hélène

PIRANDELLO Luigi
(Prix Nobel)
Feu Mathias Pascal

RAO Raja
La Chatte et Shakespeare
suivi de Camarade Kirillov

RICHLER Mordecai
Gursky

RICHTER Conrad
La Grande Dame

ROBERTS Michèle
Chair de ma chair
Celle qui revient
La Double Impasse

ROTH Joseph
Le Poids de la grâce

RUEBSAMEN Helga
Les Jardins de Bandung

RUESCH Hans
Le Soleil dans la poche
La Soif noire

SCHNEIDER Robert
Frère sommeil
(Prix Médicis Étranger)

SCHNITZLER Arthur
Le Lieutenant Gustel

SEGEDIN Petar
Les Enfants de Dieu

SHALEV Meir
Pour l'amour de Judith

SHIELDS Carol
Swann
La République de l'amour
La Mémoire des pierres
(Prix Pulitzer)
Une soirée chez Larry

SIMPSON Mona
L'Ombre du père

SORIANO Osvaldo
Quartiers d'hiver

TCHEKHOV Anton
Quatre Nouvelles

TCHOUKOVSKAIA Lydia
La Plongée

THACKERAY William
Mémoires d'un valet de pied

THEROUX Paul
Mosquito Coast
Escort Girl

VANDERHARGHE Guy
Le Dernier Cow-boy

WALSHE Robert
L'Œuvre du Gallois

WESCOTT Glenway
Le Faucon pèlerin

WIECHERT Ernst
Missa sine nomine
La Grande Permission
L'Enfant élu
La Commandante
Le Capitaine de Capharnaüm

WODIN Natascha
La Ville de verre

WOOLF Virginia
Les Vagues

YEHOSHUA Avraham B.
L'Amant
Au début de l'été 1970
Un divorce tardif
L'Année des cinq saisons
Monsieur Mani
Shiva
Voyage vers l'an mil

ZWAGERMAN Joost
La Chambre sous-marine

Photocomposition Nord Compo
59650 Villeneuve-d'Ascq

Impression réalisée sur CAMERON par

BRODARD & TAUPIN
GROUPE CPI

La Flèche

pour le compte des Éditions Calmann-Lévy
*3, rue Auber, Paris9*e
en janvier 2002

Imprimé en France
Dépôt légal : février 2002
N° d'éditeur : 13283/01 – N° d'impression : 11309